JE PERSISTE ET SIGNE

Le Temps des otages, Éd. Quinze, 1976 (épuisé).

Entretiens, avec Giovanni Calabrese, Éd. Liber, 1994.

TRADUCTIONS

La Galaxie Gutenberg, Pour comprendre les médias, Contrepoint,
de Marshall McLuhan, HMH.

Jean Paré

JE PERSISTE ET SIGNE

1977-1995
Le temps de l'impuissance

Boréal

Les Éditions du Boréal sont inscrites au Programme de subvention globale du Conseil des Arts du Canada et reçoivent l'appui de la SODEC.

Conception graphique : Gianni Caccia

Diffusion au Canada : Dimedia
Diffusion et distribution en Europe : Les Éditions du Seuil

Données de catalogage avant publication (Canada)
    Paré, Jean, 1935
    Je persiste et signe
    ISBN 2-89052-781-6
    1. Québec (Province) – Politique et gouvernement – 1960-   . 2. Canada – Politique et gouvernement – 1935-   . I. Titre.
FC2925.2.P372   1996   971.4'04   C96-940865-X
F1053.2.P372   1996

Surprise, surprise!
Les indépendantistes au pouvoir

Janvier 1977

P ierre Trudeau avait cru que l'on peut contenir un fleuve en crue en y jetant un barrage. La coalition disparate que son féal Robert Bourassa pensait diriger, et qu'on avait réunie pour empêcher bien plus que pour faire, s'est disloquée.

Car Trudeau est l'artisan involontaire de l'accession au pouvoir d'un parti qui prône l'indépendance du Québec : ayant fait taire toute contradiction et rendu le débat public dérisoire, il n'a laissé aux Québécois qui se trouvaient à l'étroit dans la camisole de force d'un fédéralisme centenaire que l'issue de l'organisation politique et de la conquête du pouvoir.

Le conflit ouvert en 1967 reste entier : nous avons simplement gaspillé dix ans. Où en étions-nous alors ? René Lévesque proposait au Parti libéral des États associés, Paul Gérin-Lajoie, un statut particulier pour le Québec. Mais ils durent quitter un parti étouffant sous l'intransigeance intellectuelle de Pierre Trudeau. Daniel Johnson exigeait, lui, l'égalité ou l'indépendance. À la question mille fois répétée, « *What does Quebec want?* », il répondait en énumérant une série de pouvoirs qui apparaissent essentiels, dans les domaines de l'immigration, de la taxation, des communications. Au fédéralisme statufié, le Québec de 1967 opposait le « séparatisme coopératif » !

Dans une conférence fédérale-provinciale télévisée qui allait orienter la décennie à venir, Pierre Trudeau répondait : « Illusion ! Le Québec ne veut rien. Il ne manque pas de pouvoirs, mais de savoir-faire ! »

Au Canada anglais, on l'écouta volontiers : il avait du panache, une fleur à la boutonnière, de jolies amies, le bon accent. Il disait surtout ce que l'on voulait entendre : que les Québécois ont des problèmes parce qu'ils sont « comme ça », plutôt qu'à cause de leur situation de minoritaires. Du Canada français, les « *Canadians* » n'avaient guère connu que les ghettos et le folklore : Maillardville, Gravelbourg, Eastview, Chédiac, des îlots « ethniques » craintifs, vieillis, voués, avec un peu de patience, à l'assimilation. De loin, le Québec apparaissait comme un de ces villages sans avenir, simplement un peu plus gros : on ne se rendait pas compte qu'avec ses six millions d'habitants, un État, ses propres impôts, ses institutions, le Québec était devenu une nation, qu'il avait atteint, comme disent les savants nucléaires, la « masse critique », que la réaction en chaîne était irréversible.

« *Que veut le Québec ?* » signifiait, en réalité : qu'est-ce donc que le Québec ?

Pierre Trudeau a réussi à imposer sa vision des choses et sa politique de confrontation par la force de l'État central autant que par l'éloquence, et surtout à cause de la faiblesse des deux gouvernements les plus velléitaires, les plus ineptes, les plus dénués de perspective que nous ayons eus : ceux de Jean-Jacques Bertrand et de Robert Bourassa.

Sa réaction à l'accession des indépendantistes au pouvoir, le 15 novembre, est typique du personnage. Cassante, sèche. Il n'y a rien à négocier, qu'une Constitution à respecter à la lettre. Le *statu quo* est immuable, le fédéralisme n'est pas une approche faite de souplesse, mais un rituel intangible.

Sa réaction est stérile, elle est surtout dangereuse. Celle des premiers ministres provinciaux est plus prometteuse, mais le manque de leadership au Canada anglais risque d'empêcher le dialogue. Les pires ennemis du fédéralisme sont ceux qui le représentent si mal.

C'est une illusion considérable que de prétendre que le Parti québécois est un parti comme les autres, tout comme c'en fut une de penser que le Québec était une province comme les autres. L'idée indépendantiste ne souriait, le 14 novembre, qu'à 20 % de l'opinion ? Elle était, dès le 16, auréolée du prestige du succès, et honorable. Elle sera demain forte de la puissance pédagogique de l'État. Et le malaise qui l'a engendrée persiste…

La Révolution tranquille n'a pas été un épisode. C'était une avant-première, réalisée par une avant-garde. À la conquête de l'infrastructure gouvernementale succédera celle de la vie économique et des grands leviers politiques.

Comment soigner un malade dont son médecin prétend qu'il est en parfaite santé, et que ses malaises ne sont que des illusions psycho-somatiques ? Les dernières élections ont révélé l'erreur de diagnostic du docteur Trudeau. Il faut maintenant éviter le remède de cheval qu'il va sans doute proposer, choisir la solution négociée plutôt que le trai-tement en catastrophe. Malgré les apparences, non seulement la rené-gociation d'un pacte entre francophones et anglophones est possible, mais elle semble plus faisable que jamais. Mais il apparaît douteux que l'homme qui perdit les pédales en octobre 1970 puisse être aujour-d'hui celui de la situation. Ce faux modéré voit la politique comme une forme de la guerre, et la guerre comme Clausewitz : « La guerre est une façon de contraindre l'ennemi à agir selon notre volonté… intro-duire le principe de la modération est une absurdité logique. »

Ôte-toi de là que je m'y mette

Février 1977

*La politique implique la création puis l'action
d'un État. Sans État, toute politique est au
futur et devient plus ou moins une éthique...*

Ce propos d'André Malraux éclaire la trajectoire des gouvernements de la « province de Québec » depuis quarante ans : tout ce
travail discret et patient pour transformer en État complet l'État moignon, le pouvoir phocomèle dont ils héritaient et qu'ils devaient trans-
mettre. Avec une détermination aveugle, presque biologique, les gouvernements québécois, depuis toujours, n'ont jamais cherché qu'à
croître et qu'à organiser la nation — « cette donnée invincible et mys-
térieuse qui allait emplir le siècle », pour citer encore Malraux —, à
garantir son espace, à la doter d'outils culturels, sociaux et économiques.

Comment expliquer que les Québécois, au contraire des Canadiens des autres provinces, ressentent ce besoin d'un État à part
entière ?

La nation canadienne-anglaise occupe la totalité du territoire canadien. Elle s'est donné, sous les apparences d'un État fédéral, un État
national. Les provinces anglaises ne sont guère que des divisions administratives — le tracé des frontières l'indique assez — dont la plus puissante est l'Ontario. Et leurs réclamations se fondent vite dans la volition
fédérale. Et cet État national canadien-anglais, chaque fois que les Québécois ont tenté de l'utiliser, ils ont suscité un ressac si violent, une
émotion si vive, qu'ils ont rapidement compris qu'ils touchaient un
joujou qui ne leur appartient pas. Ils n'ont jamais pu avoir d'influence
dans cet État que par le jeu des alliances ou par le chantage.

L'État du Québec recouvre un ensemble de similitudes de langue, d'histoire, de religion longtemps, de mœurs, qui donnent à ce Québec une autre profondeur que géographique, qui le chargent d'un sens plus profond qu'administratif. Comme l'État fédéral, il est devenu l'organe reproducteur d'un peuple, protégé avec passion, objet d'une adulation inconsciente. On n'a pas assez remarqué que les parlements de Québec et d'Ottawa sont les deux seuls du pays à arborer une tour phallique !

Faut-il s'étonner que les négociations aboutissent si souvent à l'échec ? Chacun des deux organismes n'occupe d'espace qu'aux dépens de son rival.

Que peut être ce Québec, qui propose ses propres politiques de développement quand son tuteur « n'est pas convaincu que ce soient les meilleures » ? Et cet État fédéral, qui ne veut pas devenir une façade, une « caricature d'État », comme dit Claude Ryan ? Il n'y a pas de place pour deux États, disent en réalité ces politiciens qui répondent, à chaque demande, qu'ils ne laisseront pas « briser » le Canada.

La bagarre entre les deux gouvernements, également légitimes, qui disent en notre nom des choses contradictoires, n'est pas près de finir. Avec ou sans Parti québécois, elle ne fait que commencer. Après le premier choc et l'effet de résignation, l'instinct de survivance du Canada anglais va reprendre le dessus et il faut s'attendre à un durcissement.

Il ne faut pas se faire d'illusions : au bout du compte, l'État qui sortira perdant de cet affrontement est voué à la disparition.

La réforme essentielle

Mars 1977

Le « libre choix » de la langue d'enseignement est une de ces expressions-paravents qui, loin de dire ce qu'elles veulent dire, sont plutôt destinées à cacher la réalité. Ce que les tenants du « libre choix » camouflent sous cette exigence, c'est l'intention d'envoyer leurs enfants à l'école anglaise. On ne trouve guère de clients que la loi 22 et l'absence de « liberté » empêchent d'envoyer leurs enfants au secteur français !

La preuve en est que l'enseignement de l'anglais comme langue seconde, si poussé soit-il, ne les satisfait pas. Car ils ne veulent pas apprendre l'anglais pour lire Shakespeare plutôt que Michel Tremblay, parce que Wayne and Schuster sont plus drôles que Dodo et Denise, parce que Laura Secord était plus brave que Madeleine de Verchères. Ce n'est même pas, quoi qu'ils en disent, parce qu'il est « impossible de gagner son pain en français ». Les deux tiers des Québécois francophones avouent ne pas parler anglais et nombre de ceux qui se pensent bilingues rêvent en couleur. Or, la majorité gagne bien sa vie. Et combien de chômeurs et de manœuvres « bilingues », qui errent en anglais « cassé » de Kitimat à Sept-Îles ? Les gens qui gagnent le mieux leur vie sont les plus instruits, et la connaissance des langues étrangères fait partie de la culture et de l'instruction.

Non seulement les mordus du « libre choix » veulent apprendre l'anglais : ils rêvent même de n'apprendre *que* l'anglais, moins pour des raisons économiques ou culturelles, que par besoin psychologique. Leur ignorance du français sera la preuve qu'ils ont réussi à s'intégrer à la majorité de ce pays. Ils veulent bénéficier de la sécurité sociale et émotionnelle qu'apporte l'appartenance à la masse des plus forts, au clan dominant.

Quelques mois à peine après son arrivée au pouvoir, le gouvernement du Parti québécois est aux prises avec le même dilemme que le précédent gouvernement : ou il fait une distinction raciale (et donc suspecte) entre les citoyens qui ont le choix de l'école (anglophones), et les autres (83 % de la population) qu'on oriente de force, ou il laisse les anglophones utiliser l'école que l'État met à leur disposition pour mener contre la majorité une guerre démographique et renverser par le biais de l'immigration les règles politiques du jeu.

Le gouvernement ne résoudra pas ce problème sans opérer à la racine, sans réformer les structures scolaires, en particulier celles de la région de Montréal. Tout comme le « libre choix » camoufle la détermination de s'assimiler au milieu anglophone, les structures scolaires actuelles camouflent le fait qu'il n'y a pas, au Québec, un seul ministère de l'Éducation, mais deux : un pour les francophones, un pour les autres, qui prend ses grandes orientations en dehors de la société québécoise et perpétue ainsi une scission que l'on prétend regretter.

Nous n'avons pas plus besoin de commissions scolaires catholiques et protestantes ou anglaises, françaises ou micmaques, que nous n'avons besoin de ministère de la Santé presbytérien ou des Affaires culturelles anglaises ! Les structures de l'État, sous peine de consacrer un État racial ou religieux, servent tous les citoyens sans distinction de langue ou de religion.

Des conseils scolaires uniques sauraient, tout comme le ministère administre pour tout le monde des services d'équipement, de programmes ou de financement, gérer des classes françaises, anglaises (voire bilingues, de transition ou d'intégration), y enseigner les langues secondes, recruter le personnel enseignant selon les besoins réels, gérer un réseau de bâtisses offertes à la population des quartiers selon l'évolution démographique.

Quant à ceux qui confondent encore l'instruction et le catéchuménat, il reste l'école privée. Ce serait un rôle plus sérieux que celui que l'on tente actuellement de lui faire jouer.

ce refus de toute réforme, ce vocabulaire militaire, cette manipulation de l'opinion canadienne-anglaise et des minorités indienne et juive, cette déstabilisation subtile, ce musellement de la télévision d'État par la menace, tout cela mène à la crise. Et par là, Pierre Trudeau, sophiste intransigeant tout à l'opposé des grands courtiers qui ont fait et constamment rapiécé ce pays, est un homme dangereux. Il se sait à son meilleur dans l'affrontement et le cherche, plutôt que la négociation.

Un Parti bien mal parti

Juin 1977

É quipe-Québec…
On se demande s'il faut déjà faire un premier bilan, six mois après l'élection du Parti québécois, le 15 novembre. La nouvelle équipe explique qu'elle n'est pas une meute de pros qui ne jouent que pour l'argent, mais une équipe nationale, qui défend un projet si vital qu'il faut savoir lui passer quelques vétilles.

Soit. Mais on est bien forcé de constater que, depuis six mois, Équipe-Québec joue comme ces formations réunies à la hâte que l'on dépêche en Europe se faire lessiver par les Russes et les Tchèques, rapaillages de vedettes individuelles qui « mangent » la rondelle et jouent sans stratégie. On se dit que devant les Yakoutchev et les Karlamov fédéraux, ça ne tiendra pas longtemps. Qu'il faudrait de l'ensemble, de la technique, un coach.

Les premières mesures d'urgence, le discours inaugural, le budget ont aussi permis de constater que ce gouvernement, si imbu qu'il soit du sens de sa mission, est atteint des mêmes maladies que la plupart des gouvernements : l'obésité et l'impuissance. Budget Parizeau, budget MacDonald, budget Drapeau, budget Carter, on dirait tout le monde contraint à la même politique, quel que soit le parti, quel que soit le pays. En Angleterre, le travailliste Callaghan sera battu comme le conservateur Heath par les mêmes électeurs et pour les mêmes fautes. Giscard gère son sursis.

Les gouvernements changent et les cataplasmes demeurent parce que nous sommes, en réalité, gouvernés par des technocraties qui s'échangent leurs recettes, des bureaucraties calquées sur le même modèle. Les demi-mesures proposées à l'Assemblée nationale cet hiver, qu'il s'agisse d'énergie, de forêt, d'amiante, d'agriculture, de

communications, seront-elles très différentes de celles de l'an dernier ?
La réforme de l'assurance-automobile de Lise Payette est bien celle
que Lise Bacon s'apprêtait à rendre publique quand les élections ont
été déclenchées. Et sitôt parti Jean-Paul L'Allier, cet empêcheur de
fonctionner en rond, les fonctionnaires ont enterré les conseils régionaux de la culture et stoppé la régionalisation de Radio-Québec.

La façade de l'appareil est ravalée, la machine continue à ronron-
ner. Les représentants des citoyens, à tous les niveaux, se plaignent
que les technocrates ne leur présentent pas de choix mais les conduisent à adopter leurs solutions.

La mutation qui reste à faire, c'est celle qui consisterait à mettre
la bureaucratie au régime, à faire maigrir cet État obèse, tantôt soliveau tantôt grenouille, qui ne fonctionne plus que pour lui, à remettre
les pouvoirs aux municipalités, aux conseils scolaires, aux coopératives, aux associations communautaires, aux administrés.

Là-dessus, ce n'est pas l'équipe russe, hélas ! qui va nous donner
de leçon. Pas plus que la canadienne, l'américaine ou la française.

Si on regardait un peu dans les gradins ?

Le nationalisme : un effet-télé

Septembre 1977

Jean Marchand a raison. Le séparatisme, c'est la faute de la télévision! Depuis vingt-cinq ans, Radio-Canada a été l'instrument principal (avec un très gros coup de main de la télé privée pendant quinze ans) de la montée de l'indépendantisme. Non pas que les couloirs de la Maison de Radio-Canada soient infestés de souris « subversives » comme on le dit à Ottawa, acharnées à truffer l'information de propagande séparatiste. Ce serait trop facile : on pourrait provoquer à volonté la révolution, ou au contraire, en coupant quelques têtes, retourner la propagande et restaurer l'ordre.

La télévision n'est pas un instrument (vingt minutes d'unité canadienne, s.v.p., en stéréo...) mais une technologie, c'est-à-dire un mode d'être, qui s'empare d'une société bien plus que la société ne l'utilise. Les technologies dominantes transforment aussi discrètement que rapidement l'imaginaire collectif d'un peuple, les images qu'il a de lui-même, l'interprétation qu'il en fait. On veut gober l'œuf, il y a un poulet dedans.

En 1952, quelle image les Canadiens français avaient-ils d'eux-mêmes? Celle d'un peuple rural, catholique, pauvre et ignorant, conservateur et soumis, se multipliant avec une frénésie lapinesque, timide en tout, malhabile en affaires, incapable de démocratie, protégé de l'extinction, des Anglais et du communisme par ses satrapes et son Église. Image propagée par la chaire, les livres, les élites économiques anglophones et leurs thuriféraires indigènes.

Il faudra attendre 1945 pour qu'une Gabrielle Roy ose écrire le roman d'une nation urbaine et industrialisée depuis un demi-siècle, pour qu'une nouvelle fournée d'historiens montre que le Québec n'était pas si différent de la plupart des pays d'Occident, que nos rois nègres avaient malgré tout plus d'envergure que les Mitch Hepburn, les Joey Smallwood ou les Huey Long.

Le cinéma nous avait épargnés. Il n'avait pas ici de support financier : c'était un art, pas un médium de masse. Les salles projetaient les fadaises françaises d'avant-guerre et, comme dans le reste du monde, le rêve chromé d'Hollywood.

Puis soudain, du jour au lendemain, parce qu'on avait acheté, parmi toutes les bébelles *made in USA,* des iconoscopes, il nous fallut bien apprendre à produire. À plus de cent heures par semaine, la réalité dépasse la fiction. Il fallut inventer, découvrir, expliquer, interpréter, parler, parler, parler de soi. Contredire les mensonges officiels par l'image, témoin lumineux, preuve par neuf de la véracité. La caméra s'installe dans les cuisines, éclaire les églises et les parlements, survole le monde. Elle finira par fouiller nos habitudes sexuelles. Le petit écran chasse l'image du Sacré-Cœur : *Carrefour-Aujourd'hui-Ce soir-Parle, parle* étouffe le chapelet en famille. *Les Plouffe* succèdent au *Curé de village,* Marcel Dubé à Henri Ghéon...

Le Québec s'est doté d'un immense intercom : le fleuve Saint-Laurent, de Montréal à Gaspé, est une seule grande « rue principale ». La télévision rapetisse cet immense pays aux dimensions d'une famille de téléroman. Les Québécois sont soudain six millions, qui partagent une ligne commune, et qui vont se parler. Même la publicité doit se transformer, se québéciser. Et elle nous montre dans notre voracité de vivre si peu conforme à l'ancienne image janséniste.

La télévision aura été, pour le Québec, un immense « institut de personnalité ». Enfoncé, Dale Carnegie ! L'État, le système d'éducation, Manic, les vanités gabonaises, les bêtises du FLQ, toute une évidence de normalité qui nous fait semblables aux autres et réfute les anciens mensonges de l'unanimité religieuse, philosophique et intellectuelle, et de l'incapacité matérielle. Nous sommes capables de tout, y compris de quelques conneries.

Quinze ans avant que Marshall McLuhan n'explique que la télévision est « un voyage intérieur en quête d'identité de groupe », les Québécois la revêtiront comme un habit qui ferait le moine, et y retrouveront une identité collective.

Les hommes politiques et les gens de parti qui croient facile d'utiliser comme instrument de propagande « ce merveilleux outil qu'est la télé », les commissaires du CRTC qui estiment qu'il n'a pas joué son rôle « de promotion de l'unité du Canada » ont pour la plupart grandi dans les années 30 : ils sont la dernière génération prétélévisuelle. La télévision ne peut pas être un facteur d'unité politique, seulement d'unité culturelle. Et le Canada sera uni quand Réal Giguère pourra, pendant ses vacances, prêter son fauteuil à Peter Gzowsky, quand Yvon Deschamps fera rire les *oilers* de Calgary, quand les provinces partageront, *a mari usque ad mare*, la même culture, c'est-à-dire une langue, des institutions, des buts communs. Les artifices que sont les Fêtes du Canada et les danseries télévisées de la loterie nationale n'unissent pas : ils soulignent la différence et creusent l'incompréhension. Le philosophe italien Gramsci a montré que le pouvoir politique n'est que l'expression des forces culturelles dominantes. « Notre démarche vers l'autodétermination, expliquait le ministre Claude Morin à mon collègue Peter C. Newman, est irrépressible, parce qu'elle est culturelle et sociologique. C'est un fait de civilisation. »

Au fond, Pierre Trudeau est seul à avoir compris. L'unique manière de stopper l'effet désagrégateur de la télévision sur ce pays, c'est de briser le miroir, de faire taire une société, de retrouver le silence où seuls bruissent les murmures satisfaits de la génération qui part. De mettre, comme il disait, « la clé dans la boîte ».

Mais n'est-il pas vingt-cinq ans trop tard ?

eux (et on continue de le faire) l'école, l'immigration, les tribunaux, les services, comme outil de quarantaine, comme filet linguistique, et c'est eux qu'on accuse d'intransigeance, d'intolérance, voire de racisme, quand ils adoptent pour protéger leur survie même une loi (101) qui, appliquée aux francophones en dehors du Québec, serait pour eux une véritable libération.

La crise actuelle, comme d'autres, passera. Nous ferons des enfants et des étrangers choisiront de vivre avec nous. À voyager dans les ghettos de la diaspora, nous verrons que ceux qui sont partis n'ont pas nécessairement gagné au change.

Mais la crise a son utilité. Elle nous force à trouver une réponse simple, évidente, à la question que posent tant d'angoissés : qu'est-ce qu'un Québécois ?

Un Québécois, c'est quelqu'un qui reste.

Les nouveaux curés

Février 1978

Au printemps de 1975, à Pékin, des jeunes Québécois venus étudier les « sciences politiques » m'expliquent qu'ils vont rentrer militer, non pas en usine, mais là où on « fait l'opinion », dans les centres de service social, les syndicats, les écoles...

On pense encore que les Canadiens français avaient une culture. Ils avaient surtout de la religion et des curés. Et on ne se met pas impunément, sans quelques siècles de pratique, à la libre pensée et au dialogue direct avec Dieu. Les Québécois ont cru liquider, avec les vêpres et la procession de la Fête-Dieu, le cléricalisme qui les tenait étouffés. Ils se sont retrouvés orphelins de culture. Tout ici, l'organisation sociale, les fêtes civiles, le rythme des saisons, les rites familiaux, les relations avec l'État, entre employeurs et employés, l'enseignement, les attitudes devant les arts, le corps, l'argent, la puissance et le bonheur, l'éthique sociale, les chansons, même le vocabulaire, était modelé sur le canon religieux.

La religion n'était pas ici qu'une foi et un ensemble d'actes rituels : en ce pays catholique, elle était ce que l'ordre économique est en pays protestant, une structure et une explication du monde. Notre existence même, notre survie « miraculeuse », disait-on, étaient d'ordre eschatologique.

Forcés par l'industrie, la guerre, les communications et la promiscuité internationale dans l'ère industrielle, scientiste et laïque comme des bernard-l'hermite hors de leur coquille empruntée, nous étions particulièrement vulnérables : il nous fallait vite un autre bénitier.

Les sympathisants du Mouvement laïque, créé en 1960 pour contrer le cléricalisme qui enserrait l'école et imprégnait les lois, ont longtemps craint la rechute, devant les apparitions nombreuses de témoins de Jéhovah, d'apôtres de l'Amour infini, d'évangélistes, de gourous, de guérisseurs, d'occultistes, de maharishis, de Hare Krishna. Et certains tremblent encore devant le succès relatif des charismatiques, en qui ils voient se réincarner un médiévalisme fascisant. Ces mouvements religieux qui ne manquent jamais d'avoir un certain succès chez les opprimés de toute sorte fournissent une nourriture au sentimentalisme. Mais ils n'ont pas d'avenir politique parce qu'ils n'offrent pas d'explication, même simpliste, de l'apparent désordre de l'univers. Le besoin de cohérence cosmique, la division du monde en bons et en méchants, la soif de récompenses et de punitions, on n'allait pas les satisfaire dans l'encens bon marché importé de l'Inde ou dans la fumée du cannabis, mais dans celle des assemblées de militants et dans l'odeur de l'encre des ronéotypes. On n'allait pas étancher sa faim de dogmes dans le ronronnement des mantras, mais dans l'ânonnement des répons sur l'impérialisme, le néocapitalisme, le révisionnisme. On allait récupérer l'obscure tendance du vieux cerveau à la hiérarchie dans ce dernier avatar de la religion judéochrétienne qu'est le marxisme.

Il faut dire qu'on se retrouvait en terrain familier. Depuis soixante ans, le marxisme garde un œil sur les fusils, mais l'autre sur la sacristie. Ce fascisme rouge s'est improvisé une croix de deux innocents outils. Dans une dernière revanche contre l'Empire romain d'Occident, celui d'Orient a installé à Moscou son Vatican, sa grandplace, son pape, ses fastes et ses processions militaires, son consistoire suprême. Il y tient ses conciles bisannuels destinés à réaffirmer le dogme originel et son infaillibilité. Il s'est donné ses enfants de Marie et ses croisés qui, foulard rouge au cou, glorifient la bonne action et le renoncement en attendant d'occuper les plus belles places près de l'autel et dans les administrations. Il manque l'enfer, dites-vous ? Et qu'est-ce donc que le goulag ? On a même réinventé, sous forme d'exil ou d'élimination de toute mention dans les livres d'histoire, les limbes...

La nouvelle religion a aussi ses Pères de l'Église, ses saints, ses exégètes, ses martyrs et ses démons, ses procès de sorcières — dans un CLSC de Montréal, on lutte depuis un an contre « la bande des quatre » ! —, sa statuaire, ses messes et, on le constate tous les jours, ses séminaristes et ses missionnaires. L'autre Église a dit non aux prêtres ouvriers, puis au latin. Dans celle-ci, où on jargonne aussi bien que jadis, le vicaire est fonctionnaire, enseignant, syndicaliste, journaliste, et rachète par ses quatre-vingts heures de militantisme borné, par sa foi et par son assiduité, ses 20 000 dollars par an, son mois de vacances et sa sécurité, sa position privilégiée dans la société, son pouvoir sur les institutions. Il n'enseigne plus, il prêche. Délégué, il ne représente plus, il manipule. Puisque c'est pour le bien des âmes...

Que cette nouvelle mouture du christianisme n'ait nulle part réussi plus que l'autre à assurer à l'homme le pain sur la table ni la liberté le trouble peu. Par le système des sectes (marxistes-léninistes et vice-versa, trotskystes, maos...) les nouveaux curés se donnent, tels des protestants, l'illusion de la pluralité et du libre arbitre, alors qu'ils sont unis dans la peur de la raison et de la liberté. D'ailleurs, la religion vit de guerre et de martyrs. Elle n'existe pas pour l'homme mais contre le Mal, incarnation philosophique des vieilles terreurs primales : le serpent, le lion, le feu, la sécheresse, la maladie, la mort. Le but premier des Églises n'est pas de servir l'homme et la société, mais de s'instaurer.

What does Quebec want?

Mai 1978

Est-ce vraiment son ineptie qui a perdu Robert Bourassa ? Ou la corruption et le népotisme ? Ne serait-ce pas plutôt d'avoir transformé la vigoureuse tradition autonomiste du Québec en minable « souveraineté culturelle » ? D'être tombé, comme les Garneau, les Biron, les Ryan, dans le piège de M. Trudeau : quand la langue va, tout va...

Depuis la crise des années 30, qui a transformé le rôle des gouvernements et l'équilibre politique du Canada, la revendication québécoise est fiscale et économique, pas culturelle : reconquête de l'impôt direct par Duplessis, poursuivie par Jean Lesage avec l'invention de l'*opting out,* débouchant avec Daniel Johnson sur l'égalité politique. Et ce que Jérôme Choquette pour sa police, Claude Castonguay pour ses affaires sociales, réclamaient d'Ottawa, c'étaient des points d'impôt. Et si René Lévesque propose aujourd'hui une confédération d'États librement associés, c'est pour assurer aux Québécois le contrôle de leur portefeuille et des politiques économiques susceptibles de les arracher au sous-développement planifié.

Il faut ignorer l'histoire pour s'imaginer qu'en matière de langue et de culture, le Québec attend quelque chose du reste du Canada ! Ou pour croire que la langue et la culture françaises sont plus menacées aujourd'hui qu'hier : *pea-soup* nous sommes, *pea-soup* nous resterons, sinon par volonté, au moins par le mépris hautain ou condescendant qu'on nous propose.

La langue, la culture, c'est le fanion sacré, le prétexte, la tactique, car la marge de manœuvre d'un premier ministre du Québec dans les négociations avec l'Amérique du Nord britannique est à peu près nulle. À l'exception du coup de surprise de Duplessis en 1952, à la veille d'élections fédérales, ou du coup de force de Jean Lesage qui sut arracher 30 points d'impôt à un Pearson qu'effrayait le vacarme étudiant sous les fenêtres de l'Assemblée nationale, les aménagements constitutionnels ont été nuls, quoi qu'en aient pensé Bourassa, Bertrand, Johnson, Cardinal, Castonguay et tous les autres « tablettés » de l'échec qui se sont brisé les dents sur le fédéralisme, rentable, coopératif ou renouvelé.

Le Canada anglais temporise. Il enquête, il « troisième voie », il noie le poisson. Au fond, il dit toujours non à ces émotifs qui jappent mais ne mordront jamais. Malgré le choc du 15 novembre, malgré la désarmante bonne volonté des intellectuels canadiens-anglais, le pouvoir et l'argent n'ont pas bougé.

Pour Peter Lougheed, d'Alberta, toute idée de statut particulier est inquiétante et les conférences fédérales-provinciales sont « extrêmement efficaces ». Quand il n'évoque pas le recours aux tanks, comme Pierre Trudeau, M. Blakeney de Saskatchewan dit que pour obtenir des pouvoirs « culturels » supplémentaires, le Québec devrait céder des responsabilités économiques. Pour lui comme pour Jean Chrétien, la question n'est pas de répartir les pouvoirs, mais de les accorder au gouvernement « le mieux placé pour servir la population ». Le mieux placé, par définition, c'est évidemment le plus fort. Et le pouvoir ultime que Trudeau rêve d'arracher au Québec, sa politique linguistique dépassée et inutile passe par là, c'est l'éducation, clé ou règlement des problèmes de langue, d'unité, de mobilité, de développement. D'où son « no deal » cinglant.

Dans cette optique, non seulement on peut attendre que le Parti québécois disparaisse (Marc Lalonde : « Il est inutile de parler de réformes constitutionnelles tant que ces gens-là seront au pouvoir »), mais on estime que passé le baby-boom, au début des années 80, le Québec sera une société vieillie et refroidie, aussi sage que les autres minorités. Une sorte de Nouveau-Brunswick, dans l'élégant langage de Jean Chrétien. On attend donc l'apparition du providentiel Messie, conservateur, autoritaire, un peu clerc sur les bords, comme jadis, qui ressuscitera la *priest-ridden province* d'antan, reconnaîtra la suprématie *canadian* en matière d'argent, limitera ses discours à la culture et ne claquera plus la porte des conférences fédérales-provinciales. D'où la passion subite des journaux anglais pour un Ryan descendu en trois mois du « dualisme » au statut particulier, puis au statut « distinct » et enfin aux « ententes administratives »...

D'où vient la montée
des nationalismes

Juin 1978

L e nationalisme, c'est l'envie, la gourmandise, l'orgueil de la politique. Le péché capital. Les pharisiens se scandalisent de ce « crime
contre l'humanité », les naïfs s'en accusent, tout le monde le commet.

La montée des nationalismes coïncide pourtant avec celle des
démocraties, de l'égalité et des droits, avec le refus de la discrimina-
tion raciale, religieuse, sexuelle, avec l'éducation universelle, la sécurité sociale, le régime des lois. Et ce n'est pas par hasard.

C'est que le nationalisme n'est pas l'archaïsme honteux, la per-
version tribale, que l'on prétend. C'est au contraire la fin du clan, de
la tribu, l'extension de la solidarité humaine et de la cohésion sociale
non plus aux seuls gens de son choix, mais à la totalité des individus
qui partagent un territoire, des lois, des structures sociales, politiques
et culturelles. Le nationalisme est la simple reconnaissance d'une
volonté de vivre commune, d'une appartenance qui est source de
créativité et de dépassement. Il offre à l'individu la collectivité. Il
transcende l'ethnie, la langue, la couleur. Il établit le commun dénominateur de l'idéal politique.

Peut-on imaginer un pays sans nationalisme ? Oublions un instant
l'utopie et l'angélisme : à quel dénominateur commun se rattachent
les habitants d'un pays qui, pour des raisons historiques ou culturelles, ne s'est pas découvert nation, ne s'est pas cristallisé autour d'un
minimum de critères nécessaires à la citoyenneté ? Le romancier
populaire Morris West écrit, en parlant de l'Italie, où il habite depuis
deux décennies : « C'est à Rome que fleurit le cynisme d'une
population désabusée. Les citoyens n'éprouvent aucune loyauté envers
un État impersonnel et incapable. Ils se serrent autour de leur famille.

Ils ne voient rien, n'entendent rien, ne savent rien. Ils se débrouillent... » Ce que les sociologues appellent l'*in-group,* cette collection d'individus qui se reconnaissent mutuellement, en même temps que des droits, des responsabilités, s'y réduit à la famille, au clan, au village, à la région, à l'Église, aux sociétés secrètes, partis ou mafias, aux classes sociales, dans le désordre général.

D'où vient donc que certains abhorrent à ce point l'idée de nationalisme? Il y bien sûr l'idée que, parmi les critères d'appartenance nationale, on trouve l'ethnie, ce qui n'est pas propre au nationalisme, mais au racisme. Il y a aussi la mission que lui donnait Maurras et l'usage qu'en ont fait les fascismes. Mais le socialisme fait la même chose. Et ici, actuellement, c'est le fédéralisme qui promulgue les lois d'exception, favorise la délation et l'écoute illégale, avalise les abus policiers. Cette confusion entre nationalisme et totalitarisme ne témoigne que de l'âge de ceux qui confondent; elle découle aussi des problèmes d'identification propres à un pays divisé et incertain, et aux groupes minoritaires qui se détestent dans leur impuissance.

D'ailleurs, où voit-on que la souveraineté des nations empêche la collaboration étroite entre pays, les associations économiques et politiques, la coopération internationale? Au contraire, pour un peuple peu nombreux, le nationalisme est la seule façon d'échapper aux groupes plus puissants et de jouer son rôle propre sur la scène internationale.

Dans le débat politique actuel, l'idée de nation est devenue l'outil des partis politiques. Robert Stanfield a souligné à quel point le refus de toute analyse sérieuse est une attitude négative : « Le nationalisme des francophones est en partie une réaction à cette sorte de nationalisme canadien-anglais qui ne reconnaît pas le rôle historique du Québec. » Ou pour citer de nouveau Léon Dion : « On ne combat pas le nationalisme pas l'internationalisme, mais en proposant une autre conception du nationalisme... »

Le ministère du Bonheur

Juillet 1978

D ans *loisir,* vous discernez « oisif » ? Le bureaucrate, lui, découpe « loi »…

Il ne faut pas minimiser l'instinct de l'habitant des capitales pour assurer l'expansion de sa principale industrie, le gouvernement. Le *Livre vert sur les loisirs,* dans lequel le ministre d'iceux voit un « outil d'animation », est surtout un plaidoyer pour la création d'un nouveau ministère. Ce qu'il a dû falloir d'abnégation aux 500 groupes qui ont soumis des mémoires pour passer à travers cette anthologie de lieux communs (« Le loisir est un droit pour tous »), de rhétorique pompeuse (« Le loisir est une réalité qui s'inscrit dans les dynamismes les plus profonds de l'expérience individuelle et collective…) et d'affirmations inquiétantes : « Un projet formulé par des citoyens regroupés de bonne foi [sic] peut être aussi valable que celui formulé par un fonctionnaire, **pourvu que** ce projet soit compatible avec les objectifs poursuivis par l'État. »

Un ministère des Loisirs garantirait-il vraiment le « droit fondamental au loisir » ? Il rassurerait, en tout cas, les grands simplificateurs angoissés devant le foisonnement, qui lui échappe, de l'activité spontanée, personnelle ou collective, gratuite ou commerciale. « Le monde des loisirs, écrivent-ils, est complexe au point d'en être confus. » Ah ! confusion, péché capital, qui ne le cède en gravité qu'à cet autre crime qui l'engendre, la liberté. Dès 1964, le rapport Belisle appelait au garde-à-vous : « L'État ne peut plus tolérer le laisser-aller en matière de loisirs […] instrument trop précieux pour les individus et la nation pour qu'on s'en désintéresse. »

Le fonctionnaire du loisir a ses priorités : santé (« Les gens ne sont pas en forme parce que leurs loisirs ne sont pas suffisamment consacrés aux activités physiques et sportives »), culture (« priorité à ce qui favorise l'expression de l'âme et de la réalité québécoise ») ou libération (« base d'opération contre l'ingérence du gouvernement fédéral »).

Et le pain quotidien du loisir ? Le bricolage et la lecture, le jardinage et la canasta, la danse et la philatélie, la peinture à l'eau, la mycologie, le scrabble, les puzzles, l'astronomie font-ils partie de l'âme québécoise ? Les discothèques et le Forum, les voyages et le patin à roulettes sont-ils bons pour la santé ? Faut-il un ministère du Loisir pour assurer le droit aux échecs, aux dards, à la sieste, à l'amour, au BBQ, au trou-madame, à la pétanque, à la broderie, à la musique et au tricot ? Aux journaux, au cinéma, au tango, au repos dominical et… à la télévision ? Ah ! la télévision, scintillant objet de mépris.

Ce n'est pas pour rien qu'on n'a pas créé ce foutu ministère du Loisir depuis qu'on en parle. C'est qu'il y a antinomie dans l'expression « loisirs organisés » : par définition, le loisir ne se régit pas. C'est ce qui est « loisible » qui échappe et se réforme ailleurs. N'appartient au loisir que ce qui est autonome, spontané et gratuit, ou que ce que l'on organise soi-même…

Les « élites » attendent trop de la récréation, des remèdes à la pollution, au massacre de la nature et au déficit touristique, une « explosion de créativité », un « échec à l'aliénation ». Par aliénation, entendez l'insatisfaction devant l'exploitation et le « travail en miettes ». Drôle de société où l'État consacre le loisir comme moitié de l'esclavage, comme valium ! Ce loisir-là n'est plus que le signe d'un malaise profond, il entretient l'improductivité, il ne combat pas l'aliénation, il la domestique. N'est-il pas significatif que tant d'activités de récréation soient des métiers d'antan (tissage, poterie, chasse, pêche, ébénisterie), de l'époque où l'on vendait son œuvre plutôt que son temps ? Les individus peuvent choisir leurs loisirs tout seuls, l'État, lui, ferait mieux d'œuvrer à une mutation du travail.

Le ministère du Bonheur du Livre vert suinte également la morale et le puritanisme, ce puritanisme de l'argent qui a remplacé celui du sexe. On accepte que les gens se procurent sur le marché de l'offre et de la demande, avec le fruit de leur travail, le pain, le vêtement et le logement, mais pas le loisir. (« Le mercantilisme […] la jungle du profit et de l'exploitation commerciale ont envahi le monde du loisir. ») Ils l'ont aussi créé, si vous permettez ! La vérité, c'est que le bureaucrate a horreur de l'argent : l'association ou l'individu qui disposent d'argent sont libres, ils lui échappent.

Du bon usage des syndicats

Septembre 1978

L e serpent de mer de l'unité syndicale a encore montré le bout de la nageoire, à l'occasion des congrès des centrales. On en fera des manchettes et des chansons, on subventionnera sa recherche, mais on ne risque pas plus de l'attraper que celui du Loch Ness...

Car ni la CSN, ni la CEQ, ni le Syndicat des fonctionnaires, et encore moins la FTQ, ne fusionneront. Si les animateurs CSN-CEQ comprenaient vraiment leur jargon narcisse-léniniste, ils sauraient qu'ils tentent de concilier des intérêts contradictoires, ils verraient que les travailleurs de la fonction publique « exploitent » ceux du secteur privé, et qu'au sein de leurs troupes s'opposent véritablement des « classes » naturellement ennemies.

Comment expliquer que les grèves dans l'industrie et les services privés ne provoquent guère de mécontentement que chez les patrons, alors que celles du secteur public déchaînent la hargne de la population, syndiqués compris ? C'est qu'enseignants, gens des hôpitaux ou des transports font la grève non pas contre un patron, mais contre la population, syndiqués compris. L'argent qu'ils réclament, les privilèges qu'ils arrachent, c'est à des contribuables qui sont aussi des travailleurs et des syndiqués qu'ils les prennent.

Le pouvoir démesuré qu'ils ont de paralyser des secteurs entiers de la société dans la défense de leurs intérêts soulève une animosité d'autant plus considérable que le bloc de ces grévistes fonctionnaires dispose déjà d'un pouvoir considérable sur la masse des citoyens. Pouvoir invisible, mais senti : c'est cette caste qui imagine, conçoit, justifie et applique avec cécité des politiques coûteuses et des règlements impératifs, souvent contre l'instinct naturel de la classe politique, provoquant une augmentation chronique des impôts.

Plus encore, en pleine période de chômage, ils affichent, eux, une sécurité d'emploi absolue. On les dit inefficaces : dans le sens de nos besoins, oui, mais n'appliquent-ils pas à leur secteur les mêmes critères de croissance que n'importe quelle entreprise ? Contrairement au reste des travailleurs, ils déterminent en grande partie la croissance de l'emploi dans leur « spécialité ».

Il est normal qu'ils soient contre « le système » : ils ne sont pas dedans. Ils sont eux-mêmes, de plus en plus, un système concurrent. Si l'État s'étend, leur contrôle économique, social et politique s'étend. Ils proposent implicitement un système global où la même structure représenterait les citoyens, administrerait l'État et en viendrait même à gérer la production de biens. La lutte ne se fait plus entre patrons et ouvriers, mais entre classes de travailleurs eux-mêmes.

L'erreur du patronat est de confondre dans la même colère ces forces opposées et de lutter des griffes et des dents contre la syndicalisation du secteur privé. Pour sauver l'énergie syndicale de ses abus, il faut l'intégrer davantage à des fonctions de production, relativement à des fonctions de contrôle politique, c'est-à-dire favoriser la syndicalisation du secteur privé.

La population n'est ni à droite ni à gauche, elle est modérée. Et un syndicalisme nombreux, et plus représentatif, serait plus modéré.

Ce n'est pas la politisation du syndicalisme qui suscite les conflits. Les patrons ne sont-ils pas eux aussi politisés ? C'est sa composition. Et c'est l'idée que les leaders syndicaux se font de leur mandat. Dans toutes leurs interventions, ils prétendent représenter la population contre patrons et élus : une sorte de tiers état face à la noblesse de l'argent et au clergé de la politique. Jusqu'à avis contraire, pourtant, ce sont nos députés qui nous représentent ; nos fonctionnaires, eux, nous « servent », comme on dit en anglais. Les directions syndicales ne représentent pas « les travailleurs », mais leurs cent, mille ou cent mille membres. Et il s'agit d'une représentation limitée : limitée à la négociation, avec les employeurs, des conditions de travail et de rémunération. Même dans le cas de lois touchant les questions économiques, les intérêts de consommateur du citoyen peuvent être en contradiction avec ses intérêts de travailleur, comme l'a montré l'appui des syndiqués au contrôle des prix et revenus malgré l'agitation de l'establishment syndical. Pour l'éducation, les loisirs, les politiques économiques, les syndicats sont des corps intermédiaires comme les Chevaliers de Colomb, les chambres de commerce, les clubs de l'Âge d'or et les ligues du Sacré-Cœur. Prière de voir vos élus.

La peine de mort, une thérapie primitive

Novembre 1978

En cette saison où les politiciens, libéraux comme conservateurs, pêchent le vote avec de la corde de pendu, quel argument inédit pourrait-on opposer à la peine de mort ? Les philosophes, les savants, les plus grands hommes d'État les ont tous fait valoir : peine barbare, cruelle, antichrétienne, qui rend irrémédiable l'erreur judiciaire, peine injuste, puisqu'elle frappe bien inégalement les diverses classes sociales, peine immorale puisque la société s'y décharge à bon compte de sa responsabilité dans la « fabrication » des assassins...

Il faut que le besoin d'assouvir une vengeance soit enfoui bien profond dans quelque sombre glande pour que la loi du talion résiste à la conscience, à la logique, à la raison, et à des décennies de statistiques et d'analyse scientifique. Il faut que l'instinct reste bien vivace sous le vernis de la civilisation pour que le débat sur la peine de mort soit permanent. Les sociétés progressent, elles régressent aussi parfois.

À la veille de chaque élection, les corps de police font de l'agitation en faveur de la peine de mort. De tous les travailleurs, ce sont les seuls à vouloir sanctionner par l'échafaud leurs accidents de travail. Or, leur principal argument est contredit par les faits : la peine capitale n'a aucune exemplarité, nulle part elle ne s'est révélée un moyen efficace de dissuasion.

Et serait-elle efficace, qu'il ne faudrait pas retenir cet argument. Pour deux raisons. D'abord, elle serait efficace envers qui ? Car il faudrait que les policiers commencent par attraper les criminels. Actuellement, les tueurs échappent pour la très grande majorité à la justice, et on ne pendrait guère que les dingues, les passionnés et les jaloux (la moitié des homicides se commettent entre époux !).

Mais surtout, s'abaissera-t-on à tout ce qui est efficace ?

Il serait peut-être « efficace » de lobotomiser les assassins, de les mutiler (certains pays le font : c'est pour cette raison qu'on les appelle primitifs), de les découper en rondelles, de leur appliquer à la lettre l'œil-pour-œil dent pour dent. Et pour dissuader plus sûrement, il serait peut-être « efficace » de diffuser à la télévision les séances de torture « terminale » — pour emprunter le jargon des médecins. Une tribune téléphonique permettrait au public (favorable à la peine de mort : 75 % chez les francophones, 58 % chez les anglophones) d'y aller de ses suggestions les plus ingénieuses. Suggestion de titre : *La Question du jour*. On pourrait envoyer des commissions parlementaires s'instruire auprès des spécialistes brésiliens ou soviétiques... Car en quoi est-il plus barbare de blesser des gens que de les tuer, de leur arracher quelques cris que de les faire taire pour toujours ?

Mais trêve d'ironie. Nous ne supporterions pas ce spectacle pourtant moins violent — et moins fréquent — que la plupart des séries télévisées que nous offrons quotidiennement à nos enfants. C'est que nous voyons bien la différence. La violence des criminels est spontanée, désordonnée, marginale, échappant aux règles, elle est visiblement répréhensible. Cette violence ne me fait pas peur. Celle qui fait peur, c'est la nôtre, une violence voulue, sanctionnée, organisée, une violence sans excuse, officialisée, avalisée, rendue honorable, et donc impardonnable. La peine de mort s'applique en secret, à l'aube, parce que nous la reconnaissons comme l'ultime pornographie.

La brutalité brutalise autant son auteur que la victime. « Le meurtre et la peine capitale, écrivait G. B. Shaw, ne sont pas des contraires qui s'annulent, mais des semblables qui s'engendrent et se reproduisent. »

Je n'ai pas encore entendu un seul argument logique et convaincant en faveur de la peine de mort. Il faut avoir le courage d'admettre, quand on défend le gibet, que sa véritable fonction n'est pas préventive, ni même punitive, mais thérapeutique. Et qu'il ne s'agit pas d'un traitement pour l'assassin, qui peut être neutralisé autrement, et souvent récupéré, mais pour la société. La seule utilité en effet qu'on peut trouver à la peine de mort, c'est de catalyser les passions du monstre collectif et de l'empêcher, en lui donnant l'illusion de la justice, de retomber dans l'angoisse et la sauvagerie. De la magie, en quelque sorte. Sous les auspices de l'État, un officiant immole des marginaux aux dieux de l'inconscient pour « protéger la société » de même que jadis, en mourant, les victimes des prêtres aztèques garantissaient le retour quotidien du soleil.

Les deux nations
du rapport Pépin-Robarts

Mars 1979

S ans le succès du Parti québécois, pas de rapport Pépin-Robarts sur l'avenir du Canada. Les caricaturistes l'ont vu. Claude Morin le dit, Pierre Trudeau le sait.

Ce document remarquable clôt, avec quinze ans de retard, un rapport qu'on avait empêché la commission Laurendeau-Dunton, en 1965, de terminer. C'est le diagnostic le plus juste que l'on ait fait sur les contradictions profondes qui épuisent le Canada.

Il a été accueilli avec enthousiasme — un peu forcé peut-être —, non pas que ses propositions soient neuves (elles remalaxent l'esprit de 1867, la Charte de Victoria et les propositions Trudeau-Lalonde de l'été dernier, sans véritablement offrir de nouveaux pouvoirs aux provinces), mais parce que les auteurs ont enfin osé appeler les choses par leur nom et officialiser des évidences que notre schizophrénie nationale nie systématiquement de peur de déclencher des avalanches...

D'abord on reconnaît, sous la pudique appellation de « principe de dualité », ce que l'on sait depuis Lord Durham : qu'il y a deux nations au Canada, et que le Québec n'est pas une simple province et doit « disposer de toutes les attributions » nécessaires au « château-fort du peuple canadien-français ». On répète que le gouvernement fédéral souffre d'un complexe de supériorité et doit évacuer les champs de compétence provinciaux où il patauge avec arrogance et inefficacité. On affirme que les Québécois ont droit à l'autodétermination, qu'il leur revient seuls de se prononcer et que leur décision devra être respectée. On admet, enfin, que les Québécois ne sont plus une minorité, qu'ils « se perçoivent comme une majorité ».

Est-ce à dire que l'application généreuse des 75 recommandations résorberait la crise permanente où le Canada s'enfonce? L'analyse est plus lucide que les recommandations, qui contredisent les constatations sociologiques.

Ayant justement perçu que les Québécois forment eux aussi une majorité et qu'il y a, en fait, deux Canadas, les commissaires se hâtent de rapetasser un Canada à dix où la majorité francophone devrait se confier aux institutions de la majorité anglophone (Parlement, Chambre haute, Conseil des provinces) où elle ne disposera jamais que du quart, du cinquième, du dixième des voix. On refuse de réformer ce gouvernement que « l'autre nation » considère, utilise et continuera d'utiliser comme son gouvernement national à elle, et qui n'a jamais été vraiment fédéral, mais central. Le seul contrepoids prévu, le Conseil de la Confédération, n'aurait d'ailleurs de poids que moral.

La protection des minorités doit elle être confiée à Ottawa ou aux provinces? La Commission propose la « solution suisse » : d'ici dix ans, le Canada sera dans les faits une coexistence d'unilinguismes, le français au Québec, l'anglais ailleurs. Nouveau-Brunswick excepté, les chiffres lui donneront raison même si les ténors des partis le contestent. Car déjà, c'est sur cette question de langue qu'on se querelle, comme d'habitude. Mais cela est mascarade qui risque de masquer l'essentiel : on lâche du lest aux provinces (c'est-à-dire au Québec) à condition qu'elles renoncent aux responsabilités économiques. C'est le steak qu'on tend au chien de garde pour endormir sa vigilance.

La culture existe-t-elle en dehors des assises économiques? Comment assurer, sans le contrôle de l'économie, « la mobilisation en bloc des ressources » pour « la poursuite dynamique d'un développement propre »? Et la culture, c'est aussi l'économie... D'autre part, Jean Chrétien affirmait à la chambre de commerce, au lendemain de la publication du rapport : « Il n'est pas interdit de penser que les intérêts économiques peuvent être dans de nombreux cas diamétralement opposés. » La reddition au gouvernement central, en échange d'un statut culturel particulier, de pouvoirs économiques dont l'insuffisance a déjà installé un parti indépendantiste au pouvoir, c'est la « souveraineté culturelle » de Bourassa. La folklorisation du Québec...

Le rapport néglige, enfin, une des principales raisons du conflit Québec-Ottawa : la division de la légitimité politique entre deux gouvernements. Ces politiciens qui se contredisent le font tous en notre nom. Avant de nous représenter, ils représentent trop souvent le parti et leurs intérêts de mandarins. Nous avons tous, peut-être, un député de trop. Dans la future Confédération, le parlement central doit-il être élu au suffrage universel, ou formé de délégués nommés par des États provinciaux constituants?

« Il faut un rêve pour en combattre un autre », écrivent les commissaires. « Rêve », en effet, que ce désir des Québécois, rarement exprimé, inconscient sans doute, de retrouver de quelque façon le cours normal d'un développement interrompu momentanément par une malheureuse décision de l'histoire, de renverser le destin par la volonté, de mener à terme l'expérience de la liberté et du *self-government*. D'où l'attrait, pour ce peuple « siamois », trop fort pour s'accommoder de la Confédération actuelle, trop faible pour s'en détacher, de réaliser sa liberté sans l'oser, par le biais d'une souveraineté-association de plus en plus introuvable...

Disco, bingo, loto...

Avril 1979

E n régime parlementaire, le gouvernement ne peut augmenter les impôts sans l'assentiment des élus du peuple. Vrai ?

Faux. D'un coup de fil, le ministre des Finances peut ordonner le siphonnage de centaines de millions supplémentaires. Il lui suffit d'une nouvelle loterie, d'une campagne publicitaire pour faire mousser la Provincial [*sic*] ou la Mini-Loto, ou même de réduire le montant des prix. On sait, aujourd'hui, augmenter les impôts en cachette.

On a surtout dénoncé l'injustice sociale de cette forme de taxation qu'est l'étatisation du jeu : les Crésus n'achètent pas de billets de loterie, les grandes sociétés non plus, et chaque pari du petit joueur représente une économie pour les riches et les puissants. L'impôt sur le rêve frappe les classes les plus moyennes...

Mais les séquelles politiques m'apparaissent graves et surtout plus difficiles à soigner. Le citoyen et contribuable doit voir clairement la relation de cause à effet entre ce qu'il exige de l'État et ce que l'État lui coûte. J'ai droit aux routes, aux services, à la sécurité, parce que je contribue à leur coût. Tout citoyen, même chômeur, même assisté, devrait être tenu à une cotisation, fût-elle symbolique, pour garder vivace le sentiment de participer de plein droit à la vie politique du pays, pour se sentir propriétaire de son gouvernement, avoir une voix au conseil d'administration de l'entreprise collective.

Or, la loterie, c'est la taxe invisible. Omniprésent dans la législation, la réglementation, le contrôle, l'État cherche à se cacher quand vient le temps de passer à la caisse.

C'est la technique du dentiste. Détendez-vous, écoutez la musique, vous ne sentirez rien. La recette est d'ailleurs appliquée à l'ensemble de l'action des pouvoirs publics. On habitue les sujets de l'État-providence à voir derrière les grands problèmes économiques et politiques la main du Destin, du même hasard qui fait à la loterie des millionnaires instantanés ou des rêveurs frustrés. La chute du dollar, l'inflation, le chômage, le manque de pétrole ? Ça se passera, il suffit d'attendre que la Grande Roue tourne... Pourtant, les hommes politiques et leurs savants conseillers savent quoi faire : et sans attendre d'eux « la sueur, le sang et les larmes » que promettait jadis Churchill, on voudrait au moins qu'ils accordent à leurs électeurs assez de jugement et de rigueur pour leur expliquer froidement les situations, proposer les mesures adéquates, annoncer les difficultés à traverser.

Dans son opération d'anesthésie, l'État ne s'embarrasse pas de logique. Il légifère pour protéger le consommateur, interdit la publicité trompeuse, limite l'usage des primes. Or, qu'est-ce qu'un billet de loterie, sinon la prime sans la marchandise ? L'argent du jeu, détourné par l'État vers d'improductives activités de contrôle, n'aurait-il pas plus de retombées économiques s'il était dépensé en biens tangibles ?

Personne ne souhaite revenir à l'époque des « barbottes » et des tripots du puritanisme. L'homme, partout, a toujours joué, et les prohibitions ne règlent rien. Mais cet instinct du jeu, faut-il que l'État l'exacerbe ? Les statistiques, en nous montrant qu'on joue plus, au Canada, dans les régions où l'on joue depuis plus longtemps (c'est-à-dire au Québec), nous disent aussi que l'évolution actuelle n'est ni spontanée, ni inévitable.

L'avenir du Canada
et le racket de l'unité

Juin 1979

Avec l'instinct, la ruse d'un gibier traqué, Pierre Trudeau a réussi à attirer ses ennemis, pourtant prévenus, sur le terrain où il se défend le mieux — le seul, en fait, où il se défend bien —, celui de « l'unité nationale ». C'est-à-dire, en bon français, celui de la guerre contre le Québec et ses velléités de développement autonome.

L'avenir du Canada tient, pensez-vous, aux moyens d'assurer l'égalité économique des provinces dans un ensemble politique qui fait de cet idéal sa raison d'être? Il dépend des orientations urgentes à prendre en matière d'énergie? Le chômage a dépassé les limites de l'acceptable? Notre liberté doit être défendue contre les forces occultes de la Gendarmerie? Il est urgent d'assigner des limites à l'œdème du secteur bureaucratique et à la croissance d'impôts en contrepartie desquels nous ne recevons pas plus de services? Vous vous interrogez sur le vieillissement d'un parti au pouvoir depuis seize ans et sur l'incapacité de se renouveler d'une équipe qui a fait le vide autour de sa principale vedette?

Erreur.

À deux semaines du scrutin, le grand enjeu des élections, ce n'est plus que la réponse que devra opposer le futur premier ministre du Canada — comme s'il allait gouverner seul — à un éventuel OUI des Québécois au référendum... Et la réponse à ce oui, bien sûr, c'est non! Joe Clark ne tiendrait pas compte des vœux de la majorité, Pierre Trudeau démissionnerait... Encore une fois, seul le NPD, trop honnête pour être jamais vainqueur, s'oppose, comme en octobre 1970, à la politique du pire.

En fait, les électeurs sont les dupes d'une immense supercherie. On prétend refuser toute négociation ? Elle est commencée depuis longtemps… La Révolution tranquille était le premier mouvement de ce match d'échecs : et depuis l'arrivée au pouvoir des indépendantistes, le 15 novembre 1976, toute l'activité politique n'est plus que tactique serrée. Le moment du mat approche. Ce qui nous empêche de le voir, c'est que la négociation ne se déroule pas comme prévu, aux niveaux prévus. Les Lévesque, les Morin voulaient que le Canada anglais se désigne un porte-parole. Traiterait-on en privé ou lors des conférences télévisées ? Avec le fédéral ou avec les provinces ?

Or les Davis, les Clark, les Blakeney, les Trudeau négocient avec les électeurs québécois par-dessus la tête de leur gouvernement et du PQ. Les choses, en effet, seraient si simples si l'an prochain le Québec disait non et si Claude Ryan régnait sur un peuple soumis, ayant abandonné toute prétention à un destin économique et politique autonome, satisfait de sa différence culturelle… On s'emploie donc à l'amener à y renoncer en l'avertissant à l'avance, en une sorte d'unanimité pudique, que « tout vote de grève sera inutile », quitte à tirer les conclusions même militaires qui s'imposent.

Messieurs Trudeau et Clark ne cherchent même plus de compromis. En cinq semaines de campagne, en effet, pas une proposition, pas un mot, pas une allusion même, au rapport de la commission Pépin-Robarts sur l'unité nationale ! L'oubli est trop énorme, trop aveuglant, pour être l'effet du hasard. C'est que le vrai thème de MM. Clark et Trudeau n'est pas l'unité nationale, mais le *statu quo*…

Illusion dans la supercherie, puisque même défaits, les indépendantistes et le Parti québécois ne disparaîtront pas, pas plus que les fédéralistes et le Parti libéral ne se sont évaporés après le 15 novembre. Et que faute de vider l'abcès, le Québec restera cette cinquième roue du Canada, ce boulet à la patte d'un pays en train de rater, par manque d'audace et d'imagination, « son » vingtième siècle…

Nostalgie du passé ou politique d'affrontement, cette attitude en dit long sur la capacité des politiciens à exprimer la dernière goutte du citron de l'indécision, mais elle révèle en même temps leur incompréhension dangereuse de la nature profonde de ce pays et leur incapacité à lui inventer un destin qui ne soit pas fait de l'écrasement des aspirations des minorités qui le composent.

L'éducation, une réforme
qui reste à faire...

Septembre 1979

Ç a veut être souverain. Ou encore ça prétend occuper sa place « à part entière » dans l'ensemble fédéral... Ce qui, du point de vue de la détermination et de l'effort nécessaires, revient exactement au même. Se tailler un fanion dans la courtepointe des nations ou investir un pays déjà occupé, cela demande plus que du « droit à l'auto-détermination ». Or les nouvelles sont plutôt mauvaises...

Il y a vingt ans, des citoyens, éparpillés dans la fonction publique, le Mouvement laïque, les médias, les universités, ont compris qu'on ne faisait pas une société moderne avec des 7ᵉ années fortes. Ils ont entrepris d'imposer à la seule société industrielle occidentale qui n'en avait pas encore un système d'éducation complet, public et universel. Malgré elle. Quinze ans, 40 milliards de dollars, 35 000 enseignants de plus, 180 polyvalentes et quelques universités plus tard, le taux de chômage plane au-dessus des 11 % et les employeurs sont obligés de recruter en Europe et aux États-Unis les techniciens qu'ils ne trouvent pas ici...

Bien sûr, la scolarité n'est pas toute l'équation du bonheur. Et ce que le sociologue américain Christopher Jencks appelle « la chance » — la chance d'avoir un père blanc, instruit et riche et une mère qui a pratiqué le contrôle des naissances! — joue un rôle important dans l'emploi et le niveau de revenus, et dans la qualité de la vie. Mais les statistiques démentent cruellement la paresseuse prétention des *drop-outs* selon laquelle l'école ne formerait que des « chômeurs instruits ».

Les révolutions ne font guère que repeindre les traditions en rouge... Historiquement, la société canadienne-française a confié l'éducation de ses enfants à des gens pour qui il s'agissait d'une activité essentiellement négative. L'école n'était qu'un rempart contre les influences intellectuelles étrangères et contre l'évolution. Aussi coupé du monde et de la culture originelle que le reste de la population, le clergé n'avait de contact avec l'extérieur que par les canaux les plus réactionnaires et les plus obscurantistes de l'ultramontanisme. L'écrivain catholique Jean Lemoyne a signalé qu'en deux cents ans la foi québécoise n'avait pas produit un seul grand ouvrage philosophique ou théologique, ni inspiré une seule grande œuvre littéraire. C'est sans doute parce qu'elle n'était qu'un abri, toléré faute de mieux, que les Québécois l'ont abandonnée subitement, comme des bernard-l'hermite évacuant une coquille devenue trop étroite. Au lendemain de la création du ministère de l'Éducation, l'Église n'était plus, depuis un moment, qu'une entreprise immobilière. Et une habitude. Le nouveau ministre dut en effet, devant la clameur, rengainer le slogan : « Qui s'instruit s'enrichit. » Cette dénonciation masochiste des jeunes ambitions de la Révolution tranquille était, on le voit mieux aujourd'hui, une manifestation d'arrière-garde du vieux misérabilisme janséniste. On acceptait l'école, de force, mais pas ses fruits. Elle devait rester l'antichambre de l'espérance éternelle.

Mais le passé n'explique pas tout. Il faut aussi se demander, devant la perception qu'en ont ces jeunes gens qui la répudient, quelle école on a ouverte. À l'âge de la bravade, de l'exploit, du rêve, de l'absolu, quel défi, quelle recherche de l'excellence, quel espoir de succès, de grandeur, l'école a-t-elle proposés ? Si l'effarante, si la scandaleuse proportion de 40 % d'adolescents québécois quittent le secondaire sans l'avoir terminé, n'est-ce pas que l'école a moins été le lieu de l'exploration et de la découverte que le théâtre de toutes les récriminations et de tous les blocages ?

On est mal à l'aise d'exiger moins de médiocrité des enseignants que des autres professionnels, en particulier des hommes politiques et des journalistes, ces surfeurs du quotidien. Mais les enseignants ont le malheur (et le redoutable honneur) d'être à la tête de la chaîne. Personne ne leur a d'ailleurs imposé ce métier. L'ont-ils choisi pour les mauvaises raisons, parce que c'était l'écoutille de secours, le passage le plus rapide et le moins cher, entre la pauvreté et l'aisance, l'anonymat social et le prestige des clercs ?

La mise sur pied du système d'éducation a servi, bien sûr, à éponger le chômage chez les architectes, les gestionnaires, les diplômés des écoles de pédagogie. Mais après quinze ans, il faut se demander si l'une des trop nombreuses tâches qui attendent les Québécois n'est pas d'entreprendre, vite, une réforme de l'enseignement...

Êtes-vous prêts pour le référendum?

Novembre 1979

Ê tes-vous prêts pour le référendum? Moi, si. Et vous aussi. Les sondages sont éclairants.

Les réponses montrent simplement que les Québécois veulent deux choses. À la fois! Deux choses qui apparaissent contradictoires aux hommes politiques parce qu'ils manquent d'imagination, mais qu'il n'est pas interdit de vouloir concilier : les Québécois veulent concilier leur avenir et leur passé, leur destin de peuple et leurs racines historiques, leur liberté et une assurance tous risques.

On prétend volontiers que nous sommes divisés. En trois : 20 % d'indépendantistes irrédentistes, à peu près autant de diplodocus fervents du *statu quo* (principalement anglophones) et un immense marais d'indécis, comme on n'en voit dans aucune démocratie. Or, la division ne partage pas l'électorat. Elle est au cœur de chaque électeur.

Dans tout souverainiste, il y a un fédéraliste qui sommeille. C'est le syndrome du je-ne-veux-pas-perdre-mes-Rocheuses, qu'exprimait si élégamment Jean Chrétien. Et inversement, dans tout fédéraliste dort un séparatiste. C'est Daniel Johnson qui s'écrie : « Retenez-moi, je me suis levé séparatiste ce matin! » C'est Jacques Parizeau, parti fédéraliste de la gare Windsor, qui débarque à Banff indépendantiste. C'est Robert Bourassa — un comble! — qui, rendu à Victoria, refuse de signer la Charte qui l'y attend. L'utilité de la patrie apparaît directement proportionnelle à l'éloignement...

Nous sommes donc 83 % à tenir que le Québec doit traiter d'égal à égal avec le reste du pays. C'est ce qui a été négocié il y a 112 ans : un pacte entre deux nations « guerroyant », une association d'États souverains. C'est parce que ce contrat n'a pas été respecté qu'à 83 %, toujours, nous estimons que la parodie d'entente qu'est devenue la

Confédération doit être totalement refondue, soit par la souveraineté-association soit par un « renouvellement ».

Et si le quart des citoyens espèrent toujours accroître les pouvoirs de l'État québécois sans casser de vitres, 62 % pensent qu'il vaut mieux repartir de zéro. Décidément, on ne voit pas beaucoup de différence entre l'option de René Lévesque, où le Québec récupère tous les pouvoirs sans quitter le Canada, et le fédéralisme de Claude Ryan, où il reste dans l'union canadienne sans renoncer aux pouvoirs nécessaires à en faire l'État national des Québécois !

Québec veut, au moment où sa montée démographique est arrêtée, où son poids relatif décroît dans un ensemble où apparaissent de nouveaux centres de pouvoir, obtenir d'un traité politique ce que l'histoire et la démographie ont donné à l'Ontario, ce que la géologie donne aujourd'hui à l'Ouest : une pleine participation dans l'orientation du développement économique sans lequel le social et le culturel ne sont que des coquilles vides, pire, des boulets. Il veut sortir d'une situation où il est forcé de donner en sous-traitance l'essentiel de ses contacts avec le monde, et rompre ainsi son isolement. Il veut un pacte qui ne permettrait pas au plus fort des associés de dominer le plus petit.

Théoriquement, Joe Clark pourrait faire au PQ « une proposition qu'il ne pourrait refuser », court-circuiter ses adversaires libéraux, et devenir le Sadate de l'Outaouais, le dernier père de la Confédération. Il n'en fera rien parce qu'il n'a pas de projet. « Seulement des stratégies », dit-il. Claude Ryan non plus n'a pas de plan. Qu'une stratégie, qui est de prendre le pouvoir pour négocier, à la place du calife, « son » genre de société. Et même Claude Morin n'a qu'une stratégie : celle des petits pas. Dans cette optique, le référendum n'est, bien sûr, qu'un simple instrument de négociation, un outil, un colt que l'on mettra sur la table lors de la grande partie de poker.

Mais le peuple québécois a lui aussi sa stratégie, et bien davantage. Ce qu'il montre, à chaque sondage, c'est l'intense continuité avec laquelle, des « non-instruits » de Jean Lesage aux citoyens avertis d'aujourd'hui, il cherche à renverser l'histoire et, de minorité, à devenir un peuple.

L'avantage du référendum, c'est qu'au-delà des feintes et des débats sur la bonne façon de fendre les cheveux en quatre, il force ce peuple qui n'est encore sûr de rien à se donner une réponse à lui-même et à faire enfin un choix.

Ne tirez plus, nous nous rendons!

Décembre 1979

Pitié! Nous capitulons. Vous avez vaincu, vous êtes les plus forts... Désormais, camarades des services publics, gens des omnibus et des hôpitaux, gardiens de l'ordre et du kilowatt, obscure armée des archives et des chèques mensuels, nous vous reconnaissons les droits et privilèges suivants :

Vous déterminerez vous-mêmes, sans discussion, vos salaires, vos heures et vos conditions de travail. Vous indexerez d'autorité vos revenus et votre future retraite. Vous aurez, contrairement au commun des mortels, la sécurité d'emploi absolue, nonobstant le besoin que l'on ait de vous. Vous déterminerez unilatéralement la masse salariale de l'État, et par conséquent nos impôts et nos taxes ; les représentants que nous élisions à intervalles réguliers pour exercer notre volonté sur ces matières n'étant, nous le reconnaissons enfin, que de comiques figurants, vous les renverrez à volonté. Vous prendrez, chaque année, la dîme de nos revenus, une livre de chair et l'aîné de chaque famille...

En échange de ces menues concessions, nous vous prions humblement de ne plus abandonner nos malades et nos infirmes sur leurs grabats, d'enseigner à lire et à compter à nos enfants s'ils en ont le talent, de ne pas couper l'électricité par 30 degrés sous zéro, de ne pas retenir les chèques de la veuve et de l'orphelin, de déblayer les routes menant aux bureaux et aux usines où nous produirons l'argent de vos salaires...

Toujours à l'avant-garde, le Québec semble être la première société développée qui ait accepté comme mode de fonctionnement normal les méthodes spectaculaires mises au point par Yasser Arafat : prise d'otages (infirmes de préférence, ils se défendent moins), chantage à la sécurité physique et économique, détournement de société.

C'est ainsi que, depuis l'adoption du droit de grève dans les services publics, il ne s'est pas passé une année sans que l'on voie des centaines de milliers de travailleurs laissés sans transports ou sans protection policière, autant d'écoliers privés de cours, des malades abandonnés sans traitements et des enfants « légumes » sans soins. Faisant la preuve publiquement de l'absence du jugement que requièrent normalement leurs fonctions et manquant à leur serment d'office, de grands commis de l'État ont saboté un gouvernement en pleine conférence fédérale-provinciale, d'autres ont menacé de paralyser les tribunaux pour empêcher des poursuites judiciaires légitimes contre leurs collègues. Certains ont détruit les bandes magnétiques de la sécurité routière : n'eussent-ils craint de tarir la source de leurs salaires qu'ils s'en seraient sans doute pris aux dossiers informatisés de l'impôt !

Au moins une génération apprend que le bien commun n'est rien et que l'intérêt particulier, pour ne pas dire l'idée fixe, vaut d'être affirmé l'arme au poing. Si l'on dénonce si abondamment la violence télévisée, c'est sans doute que l'on se sait incapable d'empêcher celle des bureaucraties organisées.

L'abolition du droit de grève, on le sait, ne règlerait rien. Les phalanges fonctionnarisées l'exerceraient quand même. Il existe de meilleurs arguments ! Va-t-on révoquer toutes les lois violées ? La raison du régime de négociations dans les services publics, c'est que notre société tient pour sacré le droit de disposer de soi et de son travail.

Mais qui osera dire que les employés des services publics, d'État ou privés, gagneraient moins ou travailleraient plus s'ils n'avaient pas, depuis quinze ans, perturbé en permanence la vie commune, fait régner un climat d'angoisse et de hargne, provoqué le renversement systématique de tous les gouvernements ? Salaires, tâches, avantages sociaux même, sont fixés par comparaison avec l'ensemble du marché du travail et selon la capacité des contribuables. Ils ne peuvent, sans provoquer une crise profonde, que certains souhaitent sans doute, différer beaucoup de ceux de la masse des citoyens. Au premier jour de la grève des transports publics, le dernier des débiles savait déjà que l'employeur, qui offrait six pour cent, et les employés, qui en réclamaient dix, règleraient à huit ! Après trois semaines dingues…

Si ce droit de grève qu'il ne faut pas abolir n'a rien apporté de positif, bien au contraire, c'est qu'on l'a conquis, ou accordé comme on préfère, sans au préalable en rédiger le mode d'emploi. Dans le secteur public, il n'y a ni patron, ni profits, et le marché est à l'abri de la concurrence : la grève est inefficace. Le droit d'y recourir ne peut guère être qu'un droit de manifester, d'informer le public de l'existence d'une impasse. C'est ce qui explique qu'ailleurs, les grèves soient généralement tournantes, limitées, symboliques.

L'abus qu'on en fait dans des services essentiels est en voie de convaincre le public que le syndicalisme est nocif. Il finira par faire le succès de démagogues dangereux. Aussi, pour éviter la révocation du droit de grève dans le secteur public, faut-il, avec l'accord de la masse des travailleurs, le suspendre. Convenir d'un moratoire — de deux ou trois années — pendant lequel des équipes de techniciens étudieront ce qui, dans le régime actuel, n'est pas fonctionnel, quels changements de mentalité, de structures et de techniques sont nécessaires.

Les bureaucrates des bureaucraties, ces quelques milliers de parasites qui vivent des logomachies actuelles, protesteront, bien sûr. On pourra alors demander au public, par des élections ou par un référendum, ce qu'il en pense. Juste pour voir...

À la veille du référendum de 1980

Février 1980

L e Canada est un pays divisé… Quel cliché! Quel leurre surtout. Car c'est là une des deux illusions dont se nourrit l'*ego* des Québécois. Le Canada est une nation unie. Dans le traditionnel train qui s'étire *a mari usque ad mare*, il n'y a qu'un wagon où l'on s'entretue. C'est le Québec qui est divisé, pas le Canada…

Lorsque le premier ministre du Québec a rendu publique la question qui nous divisera, vers juin prochain, le Canada anglais lui a massivement opposé une fin de non-recevoir : premiers ministres, universitaires, hommes d'affaires… Même les journalistes ont carrément pris parti, en ordre de bataille derrière leurs gouvernements : foin de l'objectivité et de l'honnêteté, on fouillait le grand dictionnaire d'Oxford à la recherche d'adjectifs qui s'entendent de loin… *Confuse, dishonest, fuzzy, ludicrous, obstreperous.*

C'est une illusion québécoise d'être, des deux solitudes, celle qui a l'état de grâce de posséder une culture et de constituer une nation, l'autre n'étant qu'une vile conjonction d'intérêts. Peut-être sont-ce les intérêts qui font les nations, mais jusqu'ici le débat référendaire n'a montré qu'une chose, que le Canada anglais se découvre, devant le défi, une cohésion et des réflexes de nation, et pas les Québécois.

Le temps du choix :
entre le péril et le risque

Mai 1980

Il y a douze millions de Québécois : six millions de fédéralistes, et six millions de séparatistes...

Nous avons avec le Canada une relation d'amour-haine, qui ressemble, en plus aigu, à celle du Canada envers les États-Unis : indépendant, mais dedans jusqu'au cou. On moque volontiers Jean Chrétien, qui oppose à la souveraineté aiguë son « syndrome des Rocheuses », mais il y a là quelque chose de terriblement réel et profond, et de touchant.

Depuis quatre cent cinquante ans que des Québécois arpentent le continent, de Chéticamp à Rivière La Paix, d'Albanel à Bâton-Rouge, sans se reconnaître de frontières, il serait étonnant qu'ils en tracent une de gaîté de cœur. D'ailleurs, l'histoire et la politique leur ont conservé le droit d'aller de l'Atlantique au Pacifique, sur la moitié nord du continent, dans le sillage des booms économiques ou des découvertes souterraines, prendre de l'emploi, s'installer à demeure, voter, gueuler, payer le médecin avec la castonguette, toucher l'assurance-chômage, sans passeport, sans visa, même sans permis de travail. Cette moitié de continent est dans l'héritage. Voilà pour l'amour.

Mais en même temps, personne n'ignore que cet héritage maritime, albertain ou arctique, pour le toucher, il faut accepter de changer de langue, de frères, d'amis, de passé. De rêves aussi. Couper les racines et en pousser d'autres. Devenir soi-même « autre ». En d'autres mots, la vieille tante nous a faits héritiers à condition de « renier la famille et de changer de blonde ». Voilà pour la haine. Ou plutôt la tristesse.

Car telle est la situation. Nous pensions avoir écrit l'histoire de ce pays, mais depuis longtemps, la majorité, comme toutes les majorités, l'a récrite à sa façon, et a refait les cartes. C'est d'ailleurs devant ce genre d'évidence que les minorités qui veulent survivre apprennent l'importance de ne jamais constituer politiquement une minorité et d'assurer, par les structures politiques plus que par les textes, les garanties qui font les nations égales.

Car tels sont les faits. Les Québécois se perçoivent comme une majorité. Comme une nation. Et comme individus libres, mais dans cette nation. Pas dans une mosaïque de survivances folkloriques. Et cette nation cherche à s'entendre avec d'autres sur une base d'égalité choisie, pas par la force des choses. L'égalité ne peut pas être le fruit d'un marché ou d'une négociation. Elle en est la condition, le point de départ. Elle existe ici dans les esprits sinon dans les faits, et le Canada n'a plus d'avenir si l'autre majorité n'accepte pas de le reconnaître dans les institutions.

Cet état de fait est d'autant plus difficile à admettre qu'il est relativement récent. Contrairement à ce que nous nous plaisons à dire, dès 1867 la nation canadienne-anglaise existait. Encore succursale impériale, elle forçait la Confédération parce qu'elle savait déjà vers quelle liberté et vers quel destin elle allait. Le changement a été un changement de degré. C'est la poignée de francophones qui n'était encore qu'une famille. En 1931 encore, lors de l'indépendance officielle du pays, elle se limitait à deux millions d'âmes, une paire de minuscules universités, une douzaine de collèges, un code civil, un gouvernement de famine, à peine des embryons de structures et d'outils économiques, l'espoir de résister par le nombre aux vagues d'immigration, l'instinct tenace de ne pas changer. L'infériorité n'était pas un complexe...

Cinquante ans plus tard, pour ne pas changer, les Québécois sont prêts à tout bouleverser. Ils ont déjà les attributs et les outils des peuples indépendants, sauf précisément l'ultime autonomie, celle d'en négocier volontairement les limites. Le changement est un changement de nature.

Dans le grotesque « mariage » canadien, qui a enfanté tant de ridicules comparaisons sur les lits matrimoniaux ou jumeaux, on découvre que si l'union n'a été ni heureuse ni fertile c'est que les deux époux étaient du même sexe...

Toute réforme qui ne reconnaîtra pas cette dualité qui est l'essence même de la réalité politique canadienne, qui tentera de perpétuer un

Canada à dix, un Canada de régions, un Canada de sous-préfectures, est vouée à l'échec. Toute réforme qui n'admet pas, outre l'égalité des individus, celle des nations qui feront l'union canadienne, ne sera au mieux que provisoire, parce qu'elle ne laisse pas de place aux effets de la dynamique interne qui transforme de façon constante et irrépressible cette société québécoise de vieille prudence normande, qui n'avance d'un pas que pour reculer d'un demi, qui se garde toujours de rien trancher et tient, par habitude, deux portes ouvertes, une devant, une au coin.

Mais les projets, « ryaniens » ou « pépiniens », que l'on oppose — pour la forme, puisque le Canada les a déjà respectueusement embaumés — au projet de souveraineté-association, ne pourraient-ils pas sauvegarder la souveraineté culturelle ?

C'est précisément ce concept pourri de souveraineté culturelle qui empoisonne la recherche d'une solution au conflit canadien. Qui empêche de le comprendre. La souveraineté culturelle ne se donne pas, ne se prend pas. Elle est. Je suis Québécois francophone et le Québec est français comme on a les yeux bleus ou bruns. De naissance. Par habitude. Pas par permission ou par protection gouvernementale, ni par négociation.

La souveraineté culturelle ne peut être qu'une promesse ultime à des minorités menacées, comme dans les provinces qui ont à peu près achevé leur grand projet du début du siècle : restreindre le français au dernier carré québécois. L'histoire aurait pu être différente, mais le fait est que le français a été agressé, mutilé, extirpé. Au moment même où l'avenir du pays se joue, on refuse encore la moindre concession aux réserves ontariennes ou manitobaines. C'était et cela reste, bien sûr, une injustice ; pire, c'était une erreur politique. On fabriquait une différence, on justifiait le Québec.

Les Québécois ont été timides dans leurs revendications récentes. (Non, ce n'est pas de l'humour.) Ou ils se sont mal exprimés. Ce n'était pas, en effet, la souveraineté culturelle que réclamaient les gardiens successifs du vouloir vivre québécois, mais les pouvoirs économiques et par conséquent politiques pour protéger leur culture, assurer sa pleine expansion, son développement sans entraves.

Le gouvernement du Québec affirmait le droit pour des individus d'accéder à toute la gamme des activités humaines, l'économie, la politique, la diplomatie autant que la littérature, l'horticulture ou le macramé, dans leur culture et selon les données de leur culture. Dans ce que le Québec revendique de mémoire d'homme, impôts, lois sociales, communications et transports, relations avec le monde, choix des politiques fiscales, monétaires, structurelles en fonction de sa géographie et des besoins des gens d'ici, où est la « culture » ? elle est dessous. C'est elle qui pousse tout cela. C'est en elle que tout cela pousse.

Les resucées du fédéralisme classique, à la 1867, à dix, à cinq, à la Trudeau, la Ryan ou la papa, sont vouées à perpétuer les stériles querelles qu'il importe de faire cesser vite parce que le Québec s'y épuise en rond et qu'elles sont un boulet pour le Canada.

Tout cela ne se fait pas sans déchirements : des indépendantistes n'accepteront pas ou accepteront mal des cessions de souveraineté nécessaires, souhaitables même. Des traditionalistes auront, comme toujours, l'impression d'une perte, d'une trahison.

Mais les indépendantistes ont compris que l'indépendance « pure et dure » est un rêve. Que la psychologie québécoise n'y tient pas plus que les réalités économiques ne la permettent. Et ils se sont résolus à en céder ce qu'il faut pour respecter le sentiment populaire tout en protégeant l'avenir. Il reste aux fédéralistes à admettre à leur tour que le fédéralisme d'antan n'est pas possible non plus, parce qu'il ne reflète plus l'idée que l'une des deux nations constituantes se fait d'elle-même et ne répond plus à ses besoins. Des besoins qu'elle est seule à déterminer.

Il reste à choisir entre le péril et le risque. Où est l'intérêt des Québécois ? Où est le plus grand risque ? Ne serait-ce pas, avec l'angélisme coutumier, au nom de la bonne foi, de ne se garder aucun recours, de tout lâcher dès le début de la partie, contre quelque vague promesse ? Et l'intérêt des Québécois n'est-il pas de se faire reconnaître comme bloc dans un pays qui n'a jusqu'à présent reconnu que des individus et des intérêts (il n'en existe jamais d'autres que ceux des plus forts) et qui tente depuis un siècle de se constituer sans autorisation des constituants et fait d'eux de plus en plus les concierges des politiques centrales et les porteurs d'eau des subventions.

La grande faiblesse du non et la grande faute des libéraux, c'est d'avoir renoncé, après vingt ans de velléités tiraillées, à offrir une solution de rechange valable et de ne pas trouver mieux que de chercher à reconstituer, en 1980, le bloc libéral dont on avait tiré, au début de la Révolution tranquille, deux partis distincts et différents, l'un fédéral, l'autre provincial. Le trudeauisme n'est plus qu'un front du refus, qu'une coagulation d'intérêts redoutable en temps d'élection mais sans idée-force au moment des choix de société. Ce bloc est responsable, pour n'avoir pas su défendre à Ottawa les intérêts économiques profonds de ses commettants, de la montée du séparatisme ; on se demande comment aujourd'hui il pourrait le contrer durablement, et comment ce qui ne fonctionnait pas hier le ferait demain.

Depuis 1960, tout a été réformé ou presque... C'est que tout était au bord de la crise : une éducation nationale caduque, une médecine encore inabordable à l'âge de la santé à la carte, un syndicalisme battu et refoulé, un puritanisme étouffant, une Église sclérosée. Duplessis a engendré la Révolution tranquille. Ce sont les premières bombes qui ont suscité la commission Laurendeau-Dunton sur le bilinguisme et le biculturalisme, les manigances de Johnson et du général qui ont forcé la tenue des grandes conférences constitutionnelles, la crise d'Octobre qui a poussé aux tentatives désespérées de Victoria pour rapatrier la Constitution en catastrophe, l'élection du PQ qui a justifié l'enquête Pépin-Robarts. Et comme Duplessis avait engendré la Révolution tranquille, Trudeau engendrait Lévesque. Tout a été réformé... sauf les institutions.

Comment sortir Montréal du coma...

Octobre 1980

L e géographe Jean-Claude Lasserre évoque bien, dans *L'Homme et le Saint-Laurent,* le conflit centenaire entre Québec et Montréal. Tête de pont de la puissance colonisatrice dont elle attendait chaque printemps, en même temps que la farine, la viande et les traitements, les décrets et nominations, Québec est tout entière tournée vers Paris, puis vers Londres, en attendant de devenir un temps capitale. Nombril de l'autorité divine, elle s'oppose à Montréal, ouverte sur l'Amérique, le commerce, l'aventure. Les mandements de Mgr de Laval contre la traite et de Jean Talon contre la course des bois, la mythologie du péril indien sont déjà des escarmouches politiques plus que spirituelles.

La Révolution tranquille, qui met au monde le nouvel État québécois, va permettre à Québec de reprendre sa suprématie sapée depuis cent ans par Montréal, Montréal-la-bâtarde où il faut côtoyer, avec l'industrie et l'argent, l'Anglais, le juif et le protestant, où la volute victorienne domine la pointe de diamant Louis-treizième, où le peuple élu perd son âme catholique et agricole. Un caravansérail éminemment punissable !

Sous la tutelle des législations et des livres blancs, le géant économique et culturel devient un nain politique. Nouvel avatar technoscientifique de l'agriculturisme ultramontain prêché jadis par Mgr Adolphe Paquet, la « décentralisation » telle qu'on la propose aujourd'hui à Québec cherche, sous prétexte de contenir un illusoire « étalement urbain », à desservir des populations là où elles ne sont plus. Et à encarcaner Montréal au rang de simple « région ». Les options actuelles de la technocratie québécoise ne sont pas des options de développement économique, mais des options idéologiques, urbanistiques ou culturelles, qui équivalent à une stagnation sinon à une réduction de la vie montréalaise. Si Montréal n'est pas la locomotive économique du Québec, Toronto en sera le pôle...

Les Montréalais n'ont jamais eu la tête très politique. Détenteurs à perpétuité d'un billet de saison du cirque libéral fédéral, historiquement sous-représentés à Québec, ils se sont contentés de « sortir les sortants » sous la direction de maîtres de cérémonie aussi increvables qu'inénarrables, les Médéric Martin, Camillien Houde, Jean Drapeau, reflets nostalgiques des épopées anciennes. Au conservatisme borné de la province, ils ont opposé un populisme mussolinien en voie de se muer en marxisme macramé. À leur conseil municipal impuissant ils rêvent de substituer des « conseils de quartier », comme autant de métastases cancéreuses du premier...

Car pour l'instant, Montréal reste, malgré ses tressaillements économiques, une sorte de légume dans le coma autour duquel de grands commis compétents mais déprimés ne s'affairent plus qu'aux fonctions d'évacuation. Le Service d'urbanisme, par exemple, est en veilleuse depuis sept ans.

Mais les choses changent. Les Montréalais découvrent que, malgré un dernier quart de siècle où on ne lui a pas évité une seule gifle, une seule erreur, Montréal reste par sa qualité architecturale, sa texture, son relief, sa douceur de vivre, une ville sans rivale en Amérique du Nord. Ils découvrent que s'ils avaient consacré le dixième du coût du seul stade à refaire leurs rues défoncées, leurs trottoirs disloqués, à rénover leurs si belles demeures, à ravaler les façades, ils auraient la plus belle ville du continent et qu'on y viendrait sans Exposition, sans Olympiades, sans Floralies. Juste par amour.

Les Montréalais découvrent surtout qu'ils ne doivent pas attendre le salut de machines politiques qui ne représentent pas le pays réel, mais d'eux-mêmes, de leur travail tenace, de leur imagination, de l'addition de leurs réussites. Et qu'ils sont aussi la seule mais immense ressource naturelle de leur ville...

Croyez-vous encore au père Trudeau?

Novembre 1980

Pour le Canada, le fédéralisme est-il une formule dépassée? Pierre Trudeau, lui, ne semble plus y croire. Las d'une révision constitutionnelle qui n'en finit plus, impatient de rentrer « regarder pousser ses arbres » (et ses enfants), il a depuis sa résurrection de février écrasé le Parti québécois, manipulé Claude Ryan, amusé les premiers ministres provinciaux, acculé l'Alberta aux risques de la rébellion et, en provoquant habilement l'échec de la conférence de septembre, convaincu la masse du peuple de l'incapacité, voire de la mauvaise foi des hommes politiques provinciaux.

Aujourd'hui, les mains libres, il s'apprête à rapatrier la Constitution unilatéralement. Il ne bluffe pas. Il envisage cette solution depuis longtemps. Et dix ans après la crise d'Octobre, le Pierre Trudeau qui abolissait alors les libertés pour mieux les protéger s'apprête, pour sauver le Canada de ses tendances centrifuges et scissionnistes, à détruire le fédéralisme.

Car pourquoi le fédéralisme? Parce que le Canada est un pays de minorités. Minorités linguistiques, ethniques, religieuses, qui diffèrent par leurs origines historiques et culturelles, leurs structures psychosociales, leur démarche économique, leurs intérêts, voire par le climat et les fuseaux horaires. Le fédéralisme canadien est tout de bric et de broc parce qu'il répond au désir de ces minorités d'être protégées de la loi de fer du plus grand nombre.

Tout se passe comme si Pierre Trudeau avait compris qu'un fédéralisme ne peut être que provisoire: une étape préalable à l'indépendance des États constituants ou à leur fusion. S'il les brime, il les pousse à la sécession. S'il les protège trop bien, il les conduit sur la voie de l'indépendance. Aux minorités, il faut donc substituer des citoyens : aux droits des provinces, ceux des individus, dont l'égalité sera assurée par des lois identiques pour tous, et le bien-être par la gérance d'un État central assisté d'acolytes régionaux.

Ce n'est un secret pour personne que le premier ministre, à qui l'on reproche depuis quinze ans sa mauvaise gestion économique, estime que les problèmes économiques du Canada ne peuvent être réglés tant que les « intérêts paroissiaux », opposés aux « aspirations réelles des citoyens », n'auront pas été jugulés.

Le fédéraliste se fait bâtisseur d'empire : à l'alliance centenaire entre peuples ou provinces, au délicat équilibre d'orientations et d'intérêts divers, il veut substituer une république une et indivisible. À la française ou à l'américaine. Peut-être aussi le prince pédagogue cherche-t-il, par la menace d'un référendum national, à bien faire voir aux francophones du Québec que la loi du plus grand nombre peut étouffer leurs aspirations tout comme eux peuvent, à l'intérieur de leurs frontières, noyer celles de leurs propres minorités, et ont cherché à le faire.

Devant cette menace, il n'est guère d'autres recours que d'attendre la retraite promise du grand homme et son remplacement par quelqu'un de la lignée des Pearson, Laurendeau, Pépin ou même Clark, qui reconnaisse que le pays lui est confié et non pas remis. Le fédéralisme se porte mieux quand il est géré par des fédéralistes !

Mais cela aussi, Trudeau l'a compris. Et à moins de s'accrocher au pouvoir — ce qu'il ne faut pas exclure, loin de là — il doit agir vite. Or, la situation s'y prête à merveille : majoritaire pour cinq ans, il vient en quelques mois de liquider l'Opposition, d'écraser le Québec, de neutraliser l'Ouest, de mettre l'Ontario — le tiers du pays — dans son camp. Il a pour lui la loi du plus fort : le vent dans les voiles, il se sent capable de « planter » tout le monde à la fois et s'y affaire. D'autant plus qu'avec un budget de 56 milliards de dollars, un PNB de 285 milliards, 300 000 fonctionnaires, des mandarins de tout premier calibre, le Canada est aujourd'hui une grande puissance qui dispose des lois et des ressources d'un État indépendant et devant qui les provinces ne font pas plus le poids que des amateurs aux Jeux olympiques. La centralisation des trente dernières années est devenue non seulement irréversible, mais probablement irrépressible.

Il n'est donc pas impossible que Pierre Trudeau, comme il l'a promis pour Noël, réussisse à rapporter à Ottawa le vieux parchemin de Londres. Dût-il nous demander d'achever par référendum la mise en tutelle des provinces.

Le sous-produit de l'*American destiny*

Décembre 1980

Ça passe ou ça casse! Notre premier ministre se sent d'attaque : en un mois, il amorce deux rapatriements : celui de la Constitution, celui du pétrole. Il entame la mise au pas, depuis longtemps promise, de Radio-Canada. Il invite Ronald Reagan, au lendemain de son élection à la présidence, à une rencontre hâtive pour discuter des nombreuses revendications canadiennes. Libéré de tout souci de se faire réélire, il est décidé à régler ses comptes et commander sa statue avant de partir. « Sa nouvelle stratégie semble consister, écrit un éditorialiste canadien-anglais, à foncer dans les problèmes les yeux fermés. » L'histoire, en fait, se répète...

Un matin brumeux de juillet 1812, un bataillon de soldats britanniques, de coureurs de bois canadiens-français et de guerriers sioux et chippewas dirigés par leur chef Amable Chevalier occupent l'îlot américain de Michillimakinac et, un siècle et demi avant l'ayatollah, s'emparent d'une centaine d'otages. La guerre vient d'éclater entre les États-Unis et le Canada.

Drôle de Canada. Il est peuplé, à peine, de gens qui ne veulent pas se battre. Une proportion importante sont des Américains, récemment attirés par les terres gratuites et l'absence d'impôts. Les habitants rêvent de fusion avec la riche démocratie voisine. Les colonies maritimes annoncent qu'elles ne cesseront pas le négoce avec la Nouvelle-Angleterre : elles prêtent des pièces pyrotechniques de bon gré aux villages du Maine pour la fête de l'Indépendance. Deux soldats canadiens sur trois sont nourris, en pleine guerre, de bœuf importé du Vermont par les marchands montréalais, qui s'enrichissent. En fait, le Canada pourrait rapidement devenir américain « par osmose », écrit Pierre Berton, si nos voisins ne déclenchaient pas ce que Jefferson appelle « une promenade ». Le territoire n'est défendu que par 4 000 réguliers britanniques, las de la poudrerie et des maringouins, et qui rêvent de rejoindre Wellington sur les champs de bataille napoléoniens. Quant aux milices du « Upper Canada », elles ne connaissent, de poudre, que celle d'escampette, pour aller faire les moissons sur leurs riches domaines.

Mais la guerre va tout changer. L'agression américaine provoque la mise en place d'un dispositif militaire et administratif, réveille les intérêts économiques, transforme une colonie en entité politique, en un mot, crée le Canada.

Le nationalisme « *canadian* », pense-t-on, n'existe pas ? En quelques mois, Pierre Berton a gagné plus de un million de dollars avec ce récit. On trouve *The Invasion of Canada* (McClelland and Stewart) dans toutes les familles d'outre-Outaouais, avec les innombrables albums illustrés sur toutes choses « *canadian* » : flore, faune, montagnes, establishment, fleuves, antiquités…

Déjà, Pierre Berton avait fait fortune avec *The National Dream*, l'histoire des chemins de fer, et rappelé qu'en 1867 comme en 1812, la création de la Confédération et de son épine dorsale, la voie ferrée, n'était qu'une réaction pour contrer l'expansion américaine vers l'Ouest.

Les événements actuels annoncent un troisième chapitre de cette guerre qui n'a jamais cessé. Drôle de Canada, cette fois encore… où est la frontière ? 90 milliards de dollars d'échanges annuels, 65 millions de visiteurs, un marché culturel totalement dominé par le cinéma, la télévision et les rockers américains. On travaille à Montréal, Toronto ou Calgary, on s'amuse à Old Orchard, West Palm Beach ou Hawaii. Les deux pays partagent peut-être le continent comme un éléphant et une souris partagent un grand lit, selon l'expression de Pierre Trudeau, mais leurs citoyens se ressemblent comme autant de flocons de corn flakes…

Là-dessus nous arrive Ronald Reagan, à la tête des néonationalistes américains, à la fois isolationnistes et expansionnistes, brandissant comme Zorro un projet de « North American Alliance », marché commun nord-américain où une Amérique assoiffée d'énergie et encombrée de réfugiés latino-américains marierait le *cheap labor* mexicain aux 400 milliards de barils de pétrole lourd et synthétique de l'Alberta, au gaz de l'Arctique, à l'hydroélectricité québécoise et terre-neuvienne, à l'eau douce qu'attend un Texas parcheminé.

Le rapatriement de la Constitution et la centralisation des pouvoirs visent à mettre fin à une séculaire guerre civile froide. Le rapatriement du pétrole et de l'économie réunit les forces pour la grande explication.

Le général victorieux de 1812, le brillant et arrogant Brock, nous a laissé sa statue. Mais le petit peuple qui habitait et cultivait les deux rives de la rivière de Detroit, les Baby, Beniteau, Ginac, Fourneaux, Boismier, Goyeau et les tribus indiennes qui sous la conduite du chef Tecumseh espéraient se tailler entre les deux adversaires un État indien souverain, sont disparus dans l'affrontement, pulvérisés comme toutes les piétailles de l'Histoire.

Dans ce nouveau chapitre d'une histoire à suivre, les Québécois devraient être particulièrement attentifs à leurs intérêts et se souvenir que, parmi les « deux nations fondatrices » du Canada, il y avait aussi les États-Unis...

La grande peur de l'an 2000

Janvier 1981

Avez-vous déjà vu des futurologues optimistes? Le Rapport global sur l'an 2000 nous annonce, comme le Club de Rome il y a quinze ans, l'épuisement prochain des ressources et la famine planétaire. Le Stanford Research Institute promet un chômage de 35 %, et une criminalité et une violence sans précédent. Une chaîne de librairies annonce à pleines pages le livre d'un charlatan qui veut nous apprendre à survivre à la crise de 1983. La spécialité de ces gens, c'est la fin du monde...

Il n'y a rien là de neuf. Il va de soi qu'un monde que nous ne gratifierons pas de notre présence ne pourra tourner rond! Les Grecs anciens, qui ont incarné tous les travers de l'inconscient humain dans des personnages mythiques, avaient inventé Cassandre, l'oracle des mauvaises nouvelles... On se ficherait bien un peu des grands-prêtres de l'angoisse contemporaine s'ils n'étaient pas contagieux, disposant désormais des moyens de s'exprimer hors des temples ou des sociétés savantes. Ainsi, une majorité de Canadiens s'attendent à la guerre nucléaire d'ici dix ans. Même ce merveilleux monstre d'entrain optimiste qu'est Joël Le Bigot, animateur du matin à Radio-Canada, disait l'automne dernier, dans un *Tel Quel* sur le vieillissement des sociétés, que nous ne vivons pas dans un temps où mettre des enfants au monde.

Fallait-il les mettre au monde en 1929, quand le taux de mortalité infantile de Montréal était d'un sur quatre, comme à Calcutta? Dans les années 50, quand, à chaque rentrée de septembre, nous trouvions à l'école la place vide des copains abattus pendant l'été par l'épidémie annuelle de polio ou par la méningite, ou exilés par un long séjour au sana? Sous Napoléon, qui exigeait des femmes huit enfants dont cinq « pour la patrie » ? Chez les Aztèques, pour qui seuls des milliers de sacrifices humains pouvaient assurer le retour quotidien du soleil ? Chez Moïse ou Hérode, quand le génocide s'effectuait par la liquidation des enfants ? Chez les Mayas, où l'espérance de vie à la naissance était de 20 ans ? Il y a 6 000 ans, chez les Indiens La Jolla, la plus vieille civilisation nord-américaine, dont la longévité maximale est estimée à moins de 18 ans ? Où était-il donc, le paradis terrestre ?

L'humanité a entamé ses ressources, quoique moins qu'on se plaît à le dire. Mais la principale, l'homme lui-même, est plus abondante que jamais. On n'en a jamais compté autant, aussi éduqués, aussi conscients des problèmes à résoudre, révoltés enfin devant ce qui n'était naguère que le destin, la condition humaine. Même en tenant compte des centaines de millions d'habitants des pays qui n'ont pas encore réussi à décoller, la majorité sont mieux nourris, mieux soignés, en meilleure santé, disposent de moyens intellectuels, scientifiques et techniques plus considérables que jamais dans l'Histoire. Et même dans certains régimes où l'on n'ose pas encore rêver de liberté, la sécurité, au moins, est désormais assurée...

Quoi, rétorquera-t-on, ne regardez-vous pas la télé ? Précisément. Bonnes nouvelles : pas de nouvelles. Les médias n'existent pas sans catastrophes. Entre nous et la famine, la mafia, le syndrome chinois, les extraterrestres et l'apocalypse, il semble n'y avoir que les flics, Walter Cronkite, Bernard Derome, Jane Fonda et Superman. Aujourd'hui, l'horreur est au salon alors que le passé, expurgé et mis en scène par Hollywood, n'est plus que « le bon vieux temps ». La mort, la cruauté, la bêtise, les cataclysmes sont toujours plus jolis au théâtre. Dans notre ignorance de « l'effet média », nous avons laissé la télé élever une génération d'enfants dans une angoisse omniprésente et destructrice ; il leur reste le choix entre le décrochage blasé et l'illusion rétrograde, entre le Club Med et la nostalgie. Effrayés par le spectacle du monde, ces nouveaux flagellants que sont les romantiques écophiles nous poussent tout droit vers le néo-conservatisme du père Reagan...

Ce que l'on retient du passé, disait Françoise Giroux, c'est toujours ce qui allait mieux. Ou Marguerite Yourcenar : « Il en est de vos âges d'or comme de Damas et de Constantinople qui sont belles à distance ; il faut marcher dans les rues pour voir leurs lépreux et leurs chiens crevés. »

La vérité, c'est qu'il y a vingt-cinq ans, les pluies étaient acides, mais nous n'en savions rien. La cigarette tuait, et l'environnement, et les maladies professionnelles, mais incognito. On répandait le DDT à la tonne, avec des bénédictions. Le smog faisait 4 000 morts en six jours à Londres en 1952. Il ne reste plus que 29 démocraties, selon un cliché moderne : en 1939, il n'en existait pas une douzaine. On torture encore beaucoup : il n'y a pas si longtemps, on torturait partout, en latin, en public, sous l'œil paterne des gouvernements « civilisés » et du Saint-Office. Encore au tournant du siècle, la France et les États-Unis connaissaient des famines régulières : depuis vingt-cinq ans, la production alimentaire *per capita* augmente de 1 % par an. Et les génocides ? Tamerlan fortifiait les villes prises avec des murailles de crânes. De 1500 à 1550, l'Amérique a vu sa population tomber de 80 millions à huit. Si la récession vous angoisse, dites-vous que c'est la septième depuis 1946. Au siècle dernier, elle aurait duré une ou deux générations.

Nous avons vu le passé. Il ne fonctionnait pas. Il reste l'avenir, que nous n'éclairerons pas à la lampe à l'huile. L'humanité ne recule pas. Nous n'aurons pas moins de science et de technologie, mais de la meilleure. Nous ne serons ni optimistes ni pessimistes, comme dit le psychologue et philosophe américain Max Lerner, nous serons possibilistes. Rien n'est écrit…

Quant aux futurologues, souvenons-nous qu'au début de la dernière décennie, ils annonçaient pour aujourd'hui l'usage courant de l'avion privé à décollage vertical, la mise en service des surrégénérateurs nucléaires, des vols touristiques réguliers de la navette spatiale, le vaccin contre le cancer, l'épicerie par câblovision, les machines à enseigner dans toutes les écoles, une économie stable, sans inflation…

Rendez-vous, donc, pour la grande peur de l'an 3000…

Sauve qui peut!

Mars 1981

Quand j'entends l'expression à la mode « projet de société », je cours me mettre à l'abri. J'ai peur des gens qui veulent qu'une société soit autre chose que l'addition et la conciliation des projets personnels et qui s'amènent, serrant sous le bras leur nouveau modèle de poulailler susceptible de remporter le premier prix au concours agricole...

Heureusement, le pouvoir a ses réalités : « J'ai participé à des centaines de réunions à Washington tant sous des administrations démocratiques que républicaines, et je ne me souviens pas d'une seule fois où quelqu'un soit intervenu pour dire : examinons le programme du parti », disait l'ancien secrétaire d'État américain Dean Rusk, le jour même où le Parti libéral du Québec publiait son Livre rouge.

Ronald Reagan ne sera pas le « fasciste » que certains craignent ; Jimmy Carter a été incapable de « casser Washington » ; les recettes radicales de Margaret Thatcher n'apportent pas les résultats escomptés ; les budgets continuent à croître malgré les promesses politiciennes...

Pierre Trudeau, théoricien du Canada bilingue *coast to coast*, et surtout farouche ennemi d'un Québec « pas comme les autres », propose aujourd'hui une Constitution qui pourtant confirme cet état de fait en réduisant le domaine français au Saint-Laurent et à l'Acadie. Il n'en est pas à une contradiction près.

Le Parti québécois ne fera pas l'indépendance demain, parce que la majorité des citoyens n'en veulent toujours pas. Pour les fédéralistes, la prison la plus sûre pour le Parti québécois, c'est le pouvoir : il ne peut être élu que s'il remise son option, et s'il la remise, il n'en fait pas la pédagogie. Quant à Claude Ryan, il ne reculerait pas les horloges, comme on dit, de vingt ans : tous les ressorts et les rouages lui sauteraient au visage.

Un autre Américain, James Barber, professeur à l'université Duke, auteur de *The President Character,* estime qu'à notre époque « il n'y a plus aucun rapport entre les propos que l'on tient en campagne électorale pour se faire élire et les décisions qu'il faut prendre pour administrer le pays ».

Tous les programmes se ressemblent. Celui du Parti québécois et celui des libéraux, celui de Trudeau et celui des conservateurs. Plus personne n'ose dire qu'il va faire quelque chose de neuf, de différent. On promet de mieux faire la même chose, comme ces banques dont les plans d'épargne-retraite ne diffèrent que d'un quart pour cent...

Les gouvernements modernes, avec leurs milliers de spécialistes, leurs centaines d'ordinateurs, sont d'immenses machines à recueillir et à analyser l'information. On estime à plus de 45 millions le nombre de dossiers que les gouvernements fédéral et provincial détiennent sur les individus et les entreprises du Québec. Il ne s'agit plus de « changer la vie », mais de résoudre des équations économiques et administratives à partir de données précises. De répartir la productivité, comme toutes les grandes entreprises. De gérer le bien-être. En Occident, nous n'élisons plus des gouvernements, mais des « administrations ».

C'est cette évolution qui a amené la mort du Crédit social ; qui empêche la création de partis marxistes sérieux : ainsi, même les « M-L » savent qu'on ne peut plus vendre de lendemains qui chantent. Au catalogue des médias, en effet, les peuples peuvent aujourd'hui acheter sur échantillon : modèle libéral, modèle cubain ou chinois, modèle polonais... On peut voir la marchandise.

Là où règne l'idéologie, la pénurie triomphe, la liberté étouffe. Mais, demandera-t-on, si les États démocratiques appliquent à peu près les mêmes cataplasmes, gèrent des sociétés similaires, combattent le chômage, les mêmes interventions, à quoi servent donc les programmes ?

Ils servent à animer la participation démocratique, à stimuler l'intérêt pour la chose publique, à éclairer les problèmes. Ils alimentent un débat nécessaire au consensus. Quant aux élections, elles servent à choisir des équipes que l'on estime capables d'être les meilleurs gestionnaires, capables d'analyses plus justes. Et à les faire marcher droit. Dehors Trudeau, dehors Clark ; dehors Bourassa ; dehors Carter... Elles forcent les élus à l'attention. Elles nous servent aussi à mettre au pouvoir des gens représentatifs du sentiment public à une époque donnée.

Depuis vingt ans, tous les gouvernements québécois, rouges, bleus ou indépendantistes, ont eu devant Ottawa, en matière d'éducation, d'affaires internationales, de développement économique, de ressources naturelles, de communication, de culture, la même attitude. La prochaine élection provinciale ne servira pas à changer cette orientation. Elle permettra aux citoyens de choisir l'équipe que l'on estime la moins inféodée au pouvoir central, la plus capable de résister à ses menées centralisatrices.

La question qui est toujours posée, au fond, c'est la question de confiance…

La réforme scolaire peut enfin commencer

Avril 1981

L e mot à la mode, ces temps-ci, dans les couloirs de la bureaucratie, c'est la « décroissance ». Comment mieux survivre, en effet, à la dénatalité, la crise de l'énergie, l'angoisse économique, qu'en les gérant ? Comment mieux résister aux hordes mystiques du Club de Rome, du « *small is beautiful* » et du macramé qu'en se mettant à leur tête ? Comme si la « décroissance » pouvait être un avenir. Comme si elle pouvait, en effet, être autre chose que temporaire.

C'est l'école qui est la première touchée. La contraction démographique est considérable : le nombre d'élèves a baissé de 20 % dans la dernière décennie, il baissera de 25 % encore dans la prochaine. Le ministre des Finances est heureux : on peut réaffecter les budgets, réduire le nombre de maîtres, fermer des écoles.

Au seuil d'une ère où l'industrie principale sera celle de la connaissance et de l'information, où la première, la seule ressource, ce seront les cerveaux, c'est de l'aberration. Il faut profiter du répit pour développer l'éducation, pas pour fermer les écoles.

Car nous n'avons, jusqu'ici, que parlé de quantité. L'école que l'on ferme, c'est celle où il fallait d'abord, pour éponger le baby-boom, former cent mille maîtres à la va-comme-je-te-pousse et les fourrer dans de grandes boîtes sans fenêtres avec deux millions de mômes. L'école d'une société dont la moitié des membres étaient des adolescents, qui ont imposé avec leurs impulsions, leurs caprices, un climat d'expérimentation égocentrique autant que de liberté. L'ère de la puberté. Aujourd'hui, parce qu'ils ne savent guère lire ni écrire, les diplômés de l'à-peu-près poursuivent en justice les maîtres qui leur enseignaient le français avec des coupures d'hebdos de quartier au nom du réalisme. Les universités doivent donner des cours préparatoires aux diplômés des cégeps. Le million d'adultes que l'on trouve au recyclage n'ont pas trente-cinq ans.

Le ministre de l'Éducation propose donc de réformer, d'abord, l'élémentaire et le secondaire. Le livre « orange » siffle la fin de la récréation : l'enseignement devra être plus systématique, les programmes plus rigides, la pédagogie plus exigeante. Le système plus sélectif, plus compétitif, les critères moins souples. Il y aura une inspection, des examens...

Mais la CEQ et autres corporatistes renâclent : l'excellence est une notion bourgeoise, la compétition, une idée capitaliste, l'école, un outil du « système »...

Jamais la CEQ n'aura été davantage l'héritière du clergé d'antan : elle n'est pas au service de ceux qui l'emploient, elle prêche, condamne, excommunie. Elle est dépositaire de la voie, de la vérité. On a envie de dire aux céquistes que les armées doivent être disciplinées, que les « choix de société » ne sont pas son affaire, qu'elle outrepasse son mandat comme toutes ces associations, ces syndicats, ces lobbies qui prétendent parler au nom du peuple. La CEQ parle pour ses membres à la table des négociations, sur les salaires, les conditions de travail, les questions professionnelles. Pour le reste, il n'y a que des activistes qui font du détournement de pouvoirs...

Il faut montrer quel mauvais tour on joue aux « classes populaires » en leur inventant une école supposée les « représenter ». Une école « adaptée » à leurs capacités, supposément moindres. Une école facile. Une école à rabais. Il faut montrer tout le mépris qu'il y a à prétendre que l'excellence, la difficulté, l'exigeance, l'ambition favorisent les « classes dominantes ».

L'école compétitive, sélective, exigeante, c'est l'égalité des chances, la promotion individuelle, la mobilité sociale, la destruction des classes. L'école à rabais, l'école de classes, c'est inévitablement la nécessité d'un recours aux écoles des mécontents, toujours privées, et par conséquent la sélection par l'argent, la perpétuation des différences.

L'école « prolétarienne » conduit aussi à la multiplication des « *corporate classrooms* ». Non seulement le « système » ne s'oppose pas à l'éducation, il est forcé de suppléer aux insuffisances de l'école publique. IBM accepte d'investir 1 million de dollars par cadre supérieur à son « université » privée d'Armonk, à deux cents milles de Montréal. General Motors a tout un campus à Flint, au Michigan.

Xerox forme mille diplômés par an : on leur enseigne les langues, les mathématiques, les cultures, les affaires urbaines, internationales, l'histoire, les arts. Peugeot est le plus grand producteur européen de cours de technologie avancée. Texas Instruments décerne ses propres maîtrises...

Inutile de dire que nos PME n'ont pas ces moyens. Notre seul outil de ce calibre, c'est l'école publique, l'école du peuple. En réduire le niveau, c'est propulser les petits Québécois les plus ambitieux et les plus talentueux vers l'étranger et l'américanisation, excellentes pour chacun d'eux, catastrophiques pour la collectivité. L'école publique doit être la meilleure, la plus exigeante, la plus difficile. C'est là que l'on décerne les visas de l'emploi : langues, sciences, mathématiques, les passeports de l'avenir. À l'illusoire salut collectif des bérets blancs du marxisme, il faut opposer les millions de petites révolutions de chacun. La promotion collective, c'est aussi la somme des promotions individuelles.

Le charme discret de la bureaucratie

Août 1981

B eaucoup de choses montantes ont emprunté l'ascenseur péquiste pour aller quelque part : les intellectuels, la contestation écologique, le féminisme, les PME. La nouvelle classe bureaucratique surtout...

Le nationalisme de la Révolution tranquille répondait à une pression sociale massive. Il modernisait une société attardée, ouvrait les hôpitaux à tous, mettait les enfants à l'école — 12 000 au secondaire public en 1958, 60 fois davantage dix ans plus tard. Il proposait le progrès commun par l'avancement de chacun.

Le nationalisme actuel, comme la social-démocratie, est dans une large mesure une stratégie de la bureaucratie. L'indépendance remisée à la prochaine occasion historique, « tablettée » comme on dit Grande-Allée, l'État grattant le fond des caisses d'une expansion épuisée et fermant écoles et hôpitaux, le nationalisme et la social-démocratie, ce truc keynésien conçu pour empêcher l'après-guerre de retomber dans la Grande Dépression, assurent la croissance d'une nouvelle Église qui nous dit, comme l'ancienne, quoi penser, quoi faire, où, quand et comment, qui distribue les punitions, et qui truste les bénéfices. Les hommes politiques « donnent » droits et chartes, mais ce sont des bureaucrates qui les appliquent avec la joie bornée que confère l'exercice du pouvoir anonyme.

On n'a pas assez vu que le seul grand transfert de richesses des vingt dernières années s'est fait au profit de la bureaucratie. Le secteur public est devenu le plus puissant des lobbys : il constitue 3 % de la population, il reçoit en salaire 50 % du budget du Québec ! Encore cette année, en pleine « décroissance », sa part continuera d'augmenter. Assurée de la sécurité absolue et de retraites indexées dont nos enfants porteront le poids, cette classe qui jaillit de la porte tournante ouverte entre l'État, l'Université, le Syndicalisme et les Médias dispose non seulement du nombre, du talent, de l'instruction, mais encore de la puissance absolue de l'État. Pas un programme qui n'aille dans le sens de sa croissance — elle a même proposé un nouveau ministère pour gérer sa décroissance ! — et de ses intérêts.

Comme l'écrivait André Siegfried du clergé des années 20 : « Tout l'enseignement est entre ses mains et sa première préoccupation est de se recruter lui-même en prenant pour lui l'élite de ses élèves ; sa seconde préoccupation est d'écraser ce qu'il redoute et il stérilise ainsi bien des semences qui eussent utilement levé ; sa troisième préoccupation est de rendre impossible tout ce qui se fait sans lui. »

Cette caste, préoccupée d'abord de la destruction systématique de tout ce qui lui fait ombrage ou échappe à son contrôle, en particulier des pouvoirs locaux, brandit le nationalisme contre le mandarinat fédéral, et la social-démocratie contre les administrateurs privés, les deux seules forces capables de lui tenir tête.

Le soir des dernières élections, Louise Harel, députée de l'aile nationaliste et radicale du Parti québécois, déclarait : « Les libéraux se sont trompés en mettant l'accent sur les libertés individuelles. Non seulement les gens ne se sentent pas brimés, mais ils veulent que l'État intervienne encore plus dans leur vie afin de les protéger et d'assurer leur sécurité. »

Le Québec au foyer, quoi ! Or, ce n'est pas de sécurité que les Québécois ont besoin, mais de concurrence, de stimulation, comme le montrent les succès commerciaux et industriels de ceux qui ont osé sortir du périmètre tribal, de l'atelier protégé de la mère Harel, de la mère Payette, de moman Plouffe, de « notre sainte Mère l'Église » naguère. Ce peuple, qui a besoin d'aller chasser pour se planter les dents dans la viande coriace de la liberté, on ne lui propose que l'État-pablum, le racket de la protection. Casse ton biberon et marche !

Assez d'idées! À nos intérêts...

Janvier 1982

L e syndrome des dominos... On a tous vu, à la télé, ces artistes de l'inéluctable qui, d'une chiquenaude, amorcent la chute de mille dominos. La nuit du 5 novembre a déclenché ce genre de réaction en chaîne, qui est d'ailleurs loin d'être terminée...

D'abord le PQ. Pierre Trudeau se donne désormais comme mission de venir le détruire : il peut rester chez lui, c'est en train de se faire tout seul! On vient de voir le Parti québécois encore groggy mais pompé à coup de drapeaux en berne et de scénarios catastrophiques, réuni en un congrès qui tenait de l'assemblée cégépienne, régresser de quinze ans et chercher à se faire hara-kiri devant les caméras, ovationnant, de préférence à son leader pourtant élu par la masse des citoyens, un Jacques Rose de mémoire d'enlèvement et de mesures de guerre. Le coup de Barabbas... [...]

Ensuite, Trudeau. Visiblement déçu, d'ailleurs, il rapatrie sa Constitution, mais dans quel état! Il rêvait d'une déclaration des droits et des libertés : ce n'est pour l'instant qu'un moignon à géométrie variable auquel les gouvernements pourront se soustraire à volonté. Pis encore, lui dont toute la carrière est une dénonciation de l'État-nation ne réussit qu'à décevoir, par son intransigeance, une nation qui avait espéré partager un État avec une autre. Il avait l'occasion d'intégrer l'irrédentisme québécois dans un nouveau fédéralisme, mais il le repousse vers la radicalisation, l'intransigeance, peut-être l'aventure. On a rarement vu autant d'énergie, d'astuce, de soins, donner d'aussi maigres résultats, autant de talent s'acharner à créer l'illusion. Ce cerveau n'était donc fait que pour la dialectique et le débat oratoire? On dirait un de ces ordinateurs qui ne savent que jouer aux échecs...

Enfin, le Québec. Car entre l'aventure incertaine et l'arrogant appétit de pouvoir du leader fédéral, il ne reste rien : ni souveraineté-association, ni États associés, ni statut particulier, ni dualité politique. Les Québécois viennent de se faire expulser du Canada comme nation pour se faire offrir d'y rentrer comme individus... Pour la première fois depuis 1774, le Canada s'est donné une Constitution — la sixième — qui n'a pas été faite spécifiquement pour accommoder le Québec et avec son accord. Le Québec est désormais bienvenu dans la nation canadienne, pour reprendre l'expression méprisante de Jean Chrétien, « comme un gros Nouveau-Brunswick ».

L'Ouest a eu ce qu'il voulait, l'Ontario sauve sa mise, qui est la vieille souveraineté-association Toronto-Ottawa. Les négociateurs québécois ont été aveuglés, eux, par l'anti-trudcauisme, tout comme Trudeau l'a été par une détestation du Québec qui confine à la pathologie. Ils se sont alliés à des gens — les meilleurs négociateurs du monde, de surcroît — qui voulaient précisément, outre la pleine possession de leurs ressources naturelles, la fin du traditionnel privilège de l'Ontario et du Québec. Ceux qui avaient des intérêts ont gagné, les autres ont perdu. Et, pour parodier Wilfrid Laurier, les Québécois n'avaient pas d'intérêts, ils n'avaient que des idées...

Les dominos tombés, que reste-t-il ? On s'illusionne, à l'ouest de Hull, si l'on croit la pièce constitutionnelle terminée. Bien sûr, la nouvelle Constitution reflète clairement le déplacement du centre de gravité démographique, économique et politique de la société canadienne, mais le Canada que l'on vient de bâtir ne ressemble pas à celui qu'on a mesuré depuis vingt ans, à coups de commissions et de rapports de toutes les couleurs. Au deuxième acte, il faut s'attendre d'ici peu, dans tout le pays, à de grands réalignements politiques. Le *French Power* est d'autant plus éminemment passager que l'utilité de Pierre Trudeau tire à sa fin et que l'Ouest viendra réclamer l'autorité politique qui correspond à son compte en banque. Le pouvoir québécois, lui, restera et, quoi qu'il arrive, ne sera plus jamais le même après le PQ qu'avant.

Le Québec va-t-il se refermer sur sa différence blessée, la choyer, la cultiver par tous les moyens ? Et le parti souverainiste va-t-il programmer une évolution du Québec qui divergerait du reste du Canada sur tous les plans, social et économique autant que linguistique et culturel ?

Quand la grève devient antidémocratique

Mars 1982

Problème de société… Voilà toute l'explication que trouvait le ministre du Travail par 25 degrés sous zéro, pour expliquer la huitième prise d'otages en neuf ans par les « brigades bleues » de la Commission de transport de Montréal. La veille, son collègue du Conseil du Trésor justifiait l'inaction du gouvernement : on ne peut rien contre une faction déterminée à « briser le consensus social » !

Pourtant, jamais depuis vingt ans un gouvernement québécois n'a disposé d'un consensus aussi total. Au point que l'on aurait pu craindre qu'il en abuse. Vous n'auriez pas trouvé deux citoyens pour défendre le droit de grève dans le transport en commun. Ou dans les services d'incendie, de police, d'eau, d'électricité ou dans les hôpitaux. Il n'y a plus de débat : le « consensus » admet que le secteur public est pléthorique, surpayé et cause du marécage de paperasse, de réglementations et d'impôts où le Québec s'enlise lentement.

Problème de société ? Problème de gouvernement plutôt. La grève prévue, annoncée même, Québec a attendu qu'elle éclate. Pis, après six jours de désobéissance à la volonté unanime de l'Assemblée nationale, le syndicat semblait capable de mettre le gouvernement en tutelle. Si l'on ajoute la fermeture de l'urgence dans certains hôpitaux, début février, il ne faut pas s'étonner que les citoyens ne soient pas sûrs d'avoir encore un gouvernement.

Mais il ne se passera rien. Ou plutôt si : d'autres grèves, et d'autres augmentations d'impôts, auxquelles messieurs Lévesque, Parizeau et Landry nous préparaient dès leur retour du Mur des Lamentations à Ottawa. La grève-choc de janvier à Montréal à peine finie, on n'en parlait déjà plus. On se réveillera lors de la prochaine explosion. À Québec, un problème retardé est un problème réglé.

À chaque intervention législative, on dénonce la répression, l'atteinte au droit de grève. La fermeté « n'est pas démocratique ». Mais le chantage l'est-il ? Ce n'est pas un droit que de porter atteinte à l'intérêt public et à la sécurité des citoyens. Par contre, les leaders syndicaux ont raison : interdictions et amendes n'empêchent pas les grèves, parce que, même illégales, même brisées, elles ont été jusqu'ici payantes. Nous aurons moins de grèves quand elles coûteront ce qu'elles doivent coûter, c'est-à-dire lorsqu'elles dureront ce qu'elles doivent durer. Quand nous saurons nous passer de grévistes, organiser des services de remplacement, inventer des solutions parallèles. Cela peut même aller jusqu'à la renonciation au monopole gouvernemental dans les services de santé, de sécurité et d'éducation. N'est-ce pas la vraie nature du sacro-saint « rapport de force » ?

Du gouvernement, on attend qu'ayant assuré le droit de grève, il facilite aussi celui de se défendre et qu'il ose avoir enfin un « préjugé favorable » aux citoyens. Quand il est incapable de faire accepter des règles du jeu dans les services publics ou qu'il s'y refuse, il lui reste à créer les conditions de la résistance, de l'autodéfense, à mettre des moyens à la disposition des volontaires. Car si les groupes qui débraient sont solidement structurés et organisés, les citoyens, eux, n'ont d'autre organisation que celles qu'ils ont élues.

En janvier, ce qui s'est joué à Montréal, c'est l'avenir du droit de grève dans les services essentiels et les conditions de son exercice. Le secteur public diffère du secteur privé en ce qu'on n'y trouve pas deux parties, mais trois dont la seule qu'une grève touche vraiment est impuissante et, disons-le, innocente. Ensuite, les grèves y ont des conséquences politiques chaque fois un peu plus graves : le « gouvernement par crise », parce qu'il multiplie le recours à une légalité d'urgence, détruit la démocratie et, bien plus que les réformes constitutionnelles, désagrège l'État québécois.

Le désordre actuel ne naît pas, en effet, du droit de grève, mais de l'illusion où on est, dans les services publics essentiels, de l'avoir. Car la population n'acceptant pas les émeutes de police, les conflagrations ou les expulsions de malades (en 1963, 1966, 1972, 1975, 1976, 1979, 1980), sitôt qu'une grève s'étire, les pouvoirs publics interviennent. Aussi bien trouver tout de suite des solutions de remplacement et procéder à quelques réformes pressées. D'abord, entre autres, le mode de scrutin... Il apparaît invraisemblable qu'un parti qui refuse pour orienter son programme le vote sur-le-champ d'une assemblée surchauffée et qui exige que la réflexion dure le temps d'un référendum interne, accepte que l'on jette à main levée un million de personnes à la rue aux moments les plus introuvables que puissent choisir les stratèges des « grèves de pouvoir » qui ont moins pour but d'améliorer la vie des travailleurs que de camoufler une sorte d'autogestion sauvage.

Le consensus après lequel les gouvernements québécois soupirent constamment existe. Il attend seulement que quelqu'un s'en serve, qui ne confond pas la peur de déplaire et les « problèmes de société ». À moins que ce ne soit précisément un problème de société de confondre bon gouvernement et gouvernement de « bons gars », de penser que la démocratie doive toujours baisser les bras, et de croire qu'exercer le pouvoir, c'est se faire chanter *Gens du pays*.

Le temps de l'impuissance...

Mai 1982

E ntre Québec et Ottawa, le tocsin sonne depuis quinze ans! La paralysie est absolue. Pourtant, on aurait pu espérer que, pendant cette période où a régné à Ottawa le *French Power*, la classe politique québécoise profiterait de l'occasion pour mettre le Québec, sans favoritisme, dans le train des plus prodigieuses années de croissance continue du siècle : modernisation de l'économie, investissement privé et public, développement des marchés, rationalisation du bilan énergétique, hausse de la scolarisation, dépollution, expansion portuaire et aéronautique... Et surtout, aménagement harmonieux de la « différence » québécoise. Si Ottawa et Edmonton ont pu s'entendre en deux ans sur le partage de 60 milliards de dollars de pétrole, des diplômés des mêmes collèges classiques (hélas!) auraient dû pouvoir atteindre quelques objectifs évidents, partager quelques idées simples.

Il n'en a rien été. C'est que les hommes politiques québécois ne représentaient pas des intérêts, contrairement à l'opinion reçue. Même pas les nôtres. Ils ne représentaient, précisément, que leurs « idées », généralement celles qu'ils confrontaient jadis en débats oratoires. Combien d'anges provinciaux ou d'archanges fédéraux peut-on faire danser sur la pointe d'une épingle constitutionnelle? Leurs querelles n'étaient que des versions pour intellectuels du cube de Rubik...

Pierre Trudeau quittera, avec le pouvoir, un parti qui ne lui survivra peut-être pas, un pays plus divisé que jamais et sans même un parti national. À Québec, la rage tous azimuts, la hargne impuissante (et verbeuse) tiennent lieu de stratégie. Pendant que le Canada est en récession, le Québec oscille au bord de la dépression, avec les impôts les plus élevés du continent...

L'idéologie officielle, au moins, célèbre la décentralisation et le *small-is-beautiful*? Non; le gouvernement péquiste traite les municipalités, les communautés, les conseils scolaires bientôt et la Ville de Montréal surtout — qui a le double malheur de constituer le dernier refuge de la minorité anglophone et de ne pas abriter le mandarinat régnant — exactement comme Trudeau traite le Québec. *Big Brother is good for you*. Les Montréalais finiront par s'en rendre compte, qui voient chaque année davantage leur police, leurs taxes, leur transport en commun, le Communauté urbaine, l'expansion du port, les annexions contrôlés ou décidés par des fonctionnaires de Sainte-Foy, Charlesbourg ou Lévis.

Pis, le discours national, qui promettait le mieux-vivre par le développement économique, la solidarité social-démocrate et la réforme constitutionnelle, se rapproche des harangues du curé Labelle : autarcie agricole, égalitarisme puritain, petites boutiques bien de chez nous. D'aucuns évoquent un néo-duplessisme. D'autres voient que l'État québécois s'est substitué à l'Église d'antan, s'en arroge la fonction et en adopte les manies... Les excès de langage rappellent plutôt l'Ordre Jacques-Cartier et la Société Saint-Jean-Baptiste. Si vraiment 67 % des Québécois préfèrent encore le fédéralisme à l'indépendance, la dénonciation des « traîtres » et des « collaborateurs » n'est pas recette de souveraineté, mais de guerre civile. (D'ailleurs, qui dit traîtres et collabos dit ennemi... Aux dernières nouvelles, le programme officiel parlait pourtant encore de « partenaires », pas d'ennemis. La collaboration n'est-elle pas la vocation même du Parti associationniste?)

Voilà donc quinze années de perdues. Une occasion ratée. Et qui ne reviendra pas. Le *French Power* sera peut-être bientôt un souvenir au menu du Parlement, sitôt que les choses seront revenues dans l'ordre, c'est-à-dire quand des élections fédérales auront permis à une majorité qui n'a plus peur du Québec de reprendre le pouvoir.

Depuis le référendum, le gouvernement québécois surnage avec une jambe coupée. Depuis la conclusion de l'accord sur la Constitution, avec les bras cassés. Et il n'offre aucune stratégie de rechange que la durée. Pas même une opposition. On s'est hâté d'attribuer aux difficultés économiques actuelles l'impopularité des partis. C'est peut-être aller vite en affaires. Ce que les électeurs reprochent au personnel politique, n'est-ce pas plutôt ses débats stériles, son impuissance, son absence de projet, le vertigineux trou noir politique qui aspire le

Québec? N'est-ce pas principalement son incapacité fondamentale, tant à Ottawa et à Québec, de négocier?

Depuis la Révolution tranquille, les Québécois ont fait des pas de géant en tout. Mais jamais ils ne se sont si mal gouvernés. La classe politique, qui avait deux États à sa disposition pour le bien commun, s'en est servie pour un grand match de tout ou rien. Les spectateurs s'en vont : cette bagarre de *has been* n'intéresse plus personne. Dès le 6 novembre, les citoyens, trompés à Ottawa, défendus de façon inepte à Québec, savaient qu'est venu le temps des punitions et même celui des échanges et du repêchage.

Comment courir à la ruine

Juillet 1982

L e ministre des Finances du Québec est tout fier d'avoir « réussi à combler son trou ». C'est que le mot équilibre n'a pas le même sens en québécois qu'en français : désormais, à Québec, on équilibre à trois milliards sous zéro ! Et seulement « dans la mesure », comme dit M. Parizeau, où le gouvernement ne reculera pas devant ses bureaucrates, et où le matraquage fiscal ne confirmera pas la loi des rendements décroissants...

Il y a des réformes qu'on ne fait pas en période de vaches grasses, parce qu'on n'en sent pas le besoin. Ni en période de relance, pour ne pas la casser. Et encore moins à la veille d'élections. Monsieur Parizeau, virtuose des budgets hypothétiques, des augmentations de taxes en *slow motion* et des déficits à géométrie variable, rate une rarissime occasion de mettre au régime cette obèse insatiable qu'est devenue l'administration publique québécoise.

La récession, bien sûr, se fait sentir partout. Mais au Québec, elle masque en plus une crise financière grave. Des 3 milliards qu'il faut emprunter, pour une deuxième année consécutive, 2 serviront à payer les intérêts d'une dette passée depuis 1976 de 5 à 16 milliards de dollars et qui aura dépassé, dans cinq ans, celle de la Pologne ! [...]

Résultat : l'économie québécoise est lestée de plomb. Chaque citoyen traîne un fardeau fiscal de 24,7 % plus élevé que celui de son voisin ontarien — qui gagne davantage. L'essence coûte 56 cents le gallon de plus à Montréal qu'à Toronto. Même l'électricité (« dont nous sommes les Arabes », n'est-ce pas ?) n'est plus la moins chère du pays. La ponction fiscale supplémentaire de deux milliards qu'effectue M. Parizeau cette année allégera d'autant des épargnes qui auraient pu alimenter une relance. Quant à l'intervention publique, l'État a épuisé toute marge de manœuvre avec un déficit deux fois trop lourd pour la capacité de l'économie québécoise.

Comment en est-on venu là?

Pour effectuer la même tâche qu'en Ontario, il faut ici un quart d'enseignants de plus, 110 % d'employés de services sociaux, 105 % de fonctionnaires. Au total, plus de 400 000 personnes.

Mais surtout, le rêve égalitaire et démocratique se heurte moins aujourd'hui aux Cadillac des capitalistes qu'aux prébendes d'une nouvelle classe dominante qui a su détourner à son compte syndicats, partis, État. Sa bonne fortune, écrit l'ex-militant syndical François Demers dans *Chroniques impertinentes du 3e Front commun*, repose principalement sur le soutien d'une majorité politique appuyant un projet de société où l'État et ses employés disposent d'une part importante de la richesse collective.

À des salaires supérieurs de 13 % à ceux du secteur privé, le nouveau clergé des « logues » et leurs acolytes et frères convers ont ajouté la garantie d'emploi, la garantie de promotion (le premier recrutement doit se faire à l'intérieur de la fonction publique), la rémunération automatique de la scolarité peu importe la compétence réelle et l'utilité, des horaires souvent plus que légers, sans compter les sabbatiques et cette assurance-chômage de luxe qu'on appelle le « tablettage », la salubrité maximale des conditions de travail, et plus récemment la garantie de non-mobilité…

La garantie d'emploi, conjuguée à la nature même des services publics, garantit la multiplication des grèves. La garantie de promotion rend inéluctable la croissance du système, puisqu'à tous ces nouveaux et futurs chefs il faudra plus d'Indiens et d'avantages dignes de leur fonction. Quant à la sécurité d'emploi, les économistes l'évaluent à au moins 10 % du salaire: pourquoi ne pas la taxer, comme les avantages non monétaires du secteur privé (voiture, actions, prêts à taux réduits)! ou simplement la racheter…

Car s'il faut affronter la colère corporatiste, aussi bien le faire sur le volume des effectifs et la garantie d'emploi. Le gel provisoire des salaires permettra le rattrapage du secteur privé mais n'éliminera pas une impasse financière plus proche des 2 milliards que de 600 millions; il ne relèvera pas non plus la productivité du secteur public. Quant à l'absurde saisie de salaires déjà versés, annoncée par le gouvernement, elle sert seulement à M. Parizeau à réussir sa règle de trois (milliards).

La vraie solidarité n'est pas seulement le partage de la masse salariale, mais celui de l'emploi et des privilèges. Il faut bien comprendre
qu'un taux de chômage de 14 % se lit comme ceci : secteur privé,
20 % ; secteur public, zéro ! [...]

Le secteur public a servi à caser, pensait-on, les nouveaux diplômés de la Révolution tranquille. En fait, on les a probablement empê-
chés d'accéder à des rôles plus productifs, au détriment du développement économique québécois. La tribu retenait inconsciemment sa
progéniture d'aller se perdre dans les diaboliques bordels du capitalisme anglo-saxon et protestant. Elle mettait surtout en place en cati-
mini toute la machinerie d'un État-nation indépendant.

Montréal, ville en tutelle

Novembre 1982

S i la Fortune, à qui la médecine doit tant de ses succès, ne punit pas Jean Drapeau de s'être moqué des conseils de la Faculté, il sera dans un mois maire de Montréal pour la neuvième fois.

Donc, Jean Drapeau. Et pourquoi pas? Car quel pouvoir reste-t-il désormais au maire de Montréal sinon d'inaugurer les floralies, de décorer les trottoirs et de choisir les nouveaux réverbères. Même l'Opéra de Montréal, si cher à son cœur, relève du ministère des Affaires culturelles. Son vrai pouvoir, d'ailleurs, a toujours été sa conviction, son énergie, sa force de persuasion. Or plus personne n'achètera ses stades. On est désormais averti. De toute façon, la contraction de l'économie garantit que dorénavant la grandeur se mangera à la sauce de l'austérité. Le vrai maire de Montréal, il est ailleurs.

Car c'est Québec qui décide de tout ce qui compte vraiment. S'il y aura ou non de nouvelles lignes de métro. Et même si le métro roulera. Qui planifie, à 250 km de distance, avec des gens qui n'habitent pas Montréal, tout le réseau régional de transport. Qui dessine les grands axes routiers ou les ponts sans lesquels Montréal étouffe. Qui construit le Palais des Congrès. Qui précipite ou retarde l'épuration des eaux. Qui détermine la qualité des hôpitaux.

C'est Québec qui décide si Montréal sera autonome ou enclavée dans une communauté régionale, si le vote d'un Montréalais vaudra autant ou moins que celui d'un banlieusard, si une annexion se fera ou pas. Si un blocage des loyers provoquera une pénurie de logements. Si Montréal sera une grande cité marchande ou cosmopolite ou si les non-francophones devront la quitter.

Et le port, cette raison d'être de Montréal? Il est géré par le gouvernement fédéral. Mirabel, un éléphant blanc plus coûteux d'ailleurs que le stade, a été implanté où il est contre le gré des autorités municipales. Ottawa dépense un demi-milliard de dollars pour « créer une ville nouvelle » sur l'emplacement du Vieux-Port...

On pourrait aligner des pages. Les maîtres du destin de Montréal vivent ailleurs. C'est une ville trop dangereuse à laisser libre, trop riche en votes pour la négliger. Toutes les vagues politiques, en effet, naissent de la rogne montréalaise : la Révolution tranquille contre le conservatisme clérical, le Parti québécois contre les humiliations infligées par Pierre Trudeau. Mais ces mouvements de protestation meurent tous à Québec, cooptés par une bureaucratie qui n'a pas cessé, depuis 300 ans, de consolider son pouvoir contre le dynamisme propre de la métropole. Ce n'est pas d'hier que les Jean Talon et les Mgr de Laval interdisent aux Montréalais la course du continent et le trafic avec les « sauvages ».

Montréal, tournée vers le *hinterland,* occupée de communications, de commerce, de conquête, ressemble davantage à Toronto ou Chicago qu'à Québec tournée vers les voiliers y apportant dès l'origine les barils de farine, les ordres, les émoluments des fonctionnaires, bien sûr, mais par-dessus tout les promotions et les nominations ! À ce vieil esprit de système est venu se greffer un nationalisme apeuré qui tient Montréal pour la plaie, le cancer où le Québec perd sa précieuse « spécificité culturelle ».

La métropole est en recul par rapport à Toronto, Boston, Calgary, pour bien des raisons, mais d'abord parce qu'elle est en tutelle. Parce qu'elle est la victime d'un parti pris de « décentralisation ». Pourtant non seulement elle n'est pas le monstre tentaculaire que l'on se plaît à décrire sur le cap Diamant, c'est même une ville modeste, trop modeste pour l'époque et pour le bien du Québec.

Or parce qu'elle est le cœur battant du Canada français, son imagination, Montréal doit être puissante. L'avenir du Québec passe par elle. Sans elle, le Québec français ne serait tôt ou tard qu'un dernier carré de résistance intuable mais folklorique.

La métropole n'aurait sans doute pas gaspillé son énergie, sa richesse, son talent en fêtes passagères si on lui avait laissé des pouvoirs réels et des décisions économiques et culturelles à prendre. Est-ce Jean Drapeau qu'il faut renvoyer, ou les gouvernements « étrangers » ? Le maire que les Montréalais devront tôt ou tard se donner, c'est l'homme qui osera monter au balcon de l'hôtel de ville pour crier (symboliquement) : Vive Montréal libre !

La stratégie de la terre brûlée

Février 1983

On connaissait la guerre froide : le Canada a inventé la guerre civile froide. Elle fait rage depuis quinze ans entre le Québec et le gouvernement de Pierre Elliott Trudeau. Elle est la grande maladie de ce pays : le Québec en souffre, chômage record, désindustrialisation, crise financière, le Canada aussi, qui traîne la pire performance économique de tout l'Occident.

À l'automne, limitant la participation des gouvernements provinciaux dans les entreprises « nationales », c'était la loi S-31, qui sabotait le rôle de « levier économique » de la Caisse de dépôt. Action subite, entreprise en cachette, procédure d'exception devant le Sénat pour soustraire l'affaire à l'opinion, effet rétroactif pour empêcher toute parade... Pourtant, un Québec qui possède des pans entiers de l'économie canadienne, un *Heritage Fund* albertain qui investit ici, ce n'est pas de la « balkanisation », c'est une assurance contre les séparatismes. Mais l'hystérie antinationaliste ne le voit pas. L'entreprise était trop grossière, elle a fait l'unanimité des Québécois contre elle : gouvernement, opposition libérale du Québec, journaux, milieux d'affaires.

Ce *French Power* a quinze ans. Quinze années perdues. Des Québécois ont détenu, pour la première fois, un pouvoir considérable au gouvernement fédéral. Mais il n'en reste qu'une aventure personnelle : l'ensemble des Québécois n'ont jamais été si loin de leur profit...

Les grands choix économiques ne se font plus selon leurs intérêts, mais pour le salut de leur âme politique. Sous prétexte d'éradiquer l'hérésie séparatiste et d'abattre le Parti québécois, c'est sur les citoyens mêmes et sur l'État québécois que l'on tire à boulets rouges, sans voir que ce Québec c'est la moitié, peut-être davantage, du *French Power*, sa source et, en tout cas, sa seule justification.

Pierre Trudeau a prétendu défendre les droits des Canadiens français en affaiblissant, en anémiant, le seul gouvernement où ils constituent une majorité. En ridiculisant les Daniel Johnson et Jean-Jacques Bertrand, en humiliant Robert Bourassa, en détruisant même son allié Claude Ryan et l'opposition libérale provinciale. Avec l'indépendance, expliquait-il, les Canadiens français ont tout à perdre. À la suite de quoi il s'est ingénié à ce qu'ils aient de moins en moins de choses à perdre…

Ce qui est incompréhensible, c'est qu'il ne se soit pas trouvé chez les députés libéraux dix justes pour traverser, comme on dit au Parlement, le parquet de la Chambre des communes, et manifester leur opposition à cette politique de déstabilisation, à cette stratégie de la terre brûlée. Des velléités, sans plus, mais qui montraient qu'on n'était pas inconscient. Ils sentent sans doute qu'ils sont moins les représentants du peuple que d'un parti, d'une machine, qui peut les défaire à volonté comme il les a faits à partir de rien.

Ils devraient pourtant voir que leur leader a créé au Québec, chez une bonne moitié des citoyens, une telle méfiance de l'État central, même une telle détestation, qu'après lui, quand le vote ethnique ne jouera plus, il ne laissera que le néant. Le Parti conservateur est peut-être déjà l'image, la projection, de ce que sera une scène politique fédérale à laquelle les Québécois ne s'intéresseront plus. Un Québec séparé psychologiquement.

Les historiens montreront les contradictions de ce personnage brillant mais fantasque, qui a toujours fait le contraire de ce qu'il prétendait : social-démocrate catapulté dans le Parti libéral, réformiste foncièrement conservateur, libertaire capable d'invoquer la loi martiale, destructeur du fédéralisme qu'il voulait renforcer, dilettante incapable de lâcher le pouvoir, antiduplessiste soucieux de caser tous ses amis au Sénat, défenseur du fait français mais qui dépouille constitutionnellement le Québec… L'impuissance absolue.

Les deux pouvoirs québécois, l'un portant l'autre, ont trouvé la recette de l'éternité : on réélit le Parti québécois pour résister à Pierre Trudeau, et Pierre Trudeau pour neutraliser les tendances séparatistes de l'autre héros. Que dire, sinon ceci :

Partez ! Vous nous avez déjà fait assez de mal. Il faudra bien une génération pour s'en remettre.

Le dinosaure et la *Nomenklatura*

Mars 1983

Mon pays, ce n'est pas un pays, c'est un colloque.
Le gouvernement du Québec, comme la reine d'Angleterre, règne mais ne gouverne pas... Pour la classe syndicale et un certain courant du Parti québécois, en effet, le pouvoir démocratique ne réside pas à l'Assemblée ou au cabinet, mais dans une sorte de table ronde permanente (quelquefois appelée « sommet ») entre les élus du peuple et l'appareil qui prétend représenter les syndiqués, principalement du secteur public. D'où le refus de ce dernier de se plier aux lois d'un gouvernement qui n'en finit pas de multiplier les sursis « ultimes » aux bénéficiaires de son « préjugé favorable » et de renégocier ses décisions « finales » ! Le jargon tue...

Cette conception de la démocratie est bien sûr une foutaise. Les citoyens n'ont confié aucun mandat politique aux leaders syndicaux ; la fonction publique n'est qu'un lobby de demandeurs parmi d'autres : chômeurs, jeunes, malades, personnes âgées, acteurs économiques, etc.

Mis sur pied en catastrophe, comme un stade olympique, sans trop regarder au coût et aux plans, l'appareil de la « Révolution tranquille » devait assurer le changement social et gérer provisoirement la croissance à la place d'une bourgeoisie inexistante. On allait secouer le joug clérical, libérer la liberté, ouvrir l'école, briser l'unanimité, assurer l'avancement des Québécois. En un mot leur salut, soudain devenu matériel...

On n'a pas assez vu que si la religion s'est si abruptement et incompréhensiblement effondrée dans une société où elle avait tenu tant de place, c'est que la classe intellectuelle changeait tout simplement d'Église.

Le provisoire institutionnalisé, le gain a évidemment été d'abord celui de cette nouvelle classe hégémonique, comme on dit en jargon marxiste, de cette *Nomenklatura,* comme on appelle la caste privilégiée dans les sociétés marxisées. Emplois, salaires, pensions, indexation, conditions de travail, sécurité... (Elle dispose aujourd'hui à elle seule du quart du Produit intérieur brut et en contrôle la moitié.)

Mais la Nomenklatura a surtout réussi, du fait de sa formation, de sa position et d'une information privilégiée, à s'emparer du pouvoir réel, c'est-à-dire à imposer ses objectifs, ses priorités, ses intérêts, ses méthodes, son idéologie. Sous prétexte de « bien public », elle draine depuis vingt-cinq ans à son profit la plus grande part des ressources, argent et talent. Pas une étude, pas une analyse qui n'allât dans le sens du développement de l'État et de sa justification.

Chevauchant la démocratie libérale, la Nomenklatura a réussi à imposer, pour employer une expression obscène, son « projet de société ». Qu'advenait-il du vôtre ?

En pleine révolution postindustrielle, à l'âge de l'accélération technologique, de la décentralisation, de la dislocation des idéologies, le modèle social-démocrate moulé pendant la Grande Crise sur les structures industrielles et fignolé dans les décombres de l'après-guerre, est un dinosaure. N'en prenons pour preuve que le désarroi, l'impuissance des appareils gouvernementaux dans une situation où la survie dépend de l'innovation scientifique. L'outil est devenu plus gros que le bras qui le tient. Aborder l'avenir avec cette mécanique hypertrophiée toujours en retard d'un Livre blanc, c'est y entrer à reculons...

À l'affût de la dernière idée dans le vent, les hommes politiques prétendent pouvoir mettre le dinosaure bureaucratique à la diète, mais leur entêtement à maintenir et à étendre le pouvoir de l'État les contredit.

Il ne manque pourtant pas de tâches pour un programme adapté aux circonstances : rétablir une fiscalité comparable à celle des économies voisines, rendre le Québec concurrentiel au lieu d'exacerber systématiquement ses différences, instruire la dernière vague du baby-boom, qui est peut-être aussi la dernière chance du Québec...

Le vrai virage technologique ne se prendra pas dans les Livres blancs et les ministères, mais dans les maternelles, les laboratoires et à la Bourse. Le nationalisme, aujourd'hui, c'est d'être meilleur.

Flonflons de gauche
et social-conservatisme

Mai 1983

L a social-démocratie était une illusion. Inventée pour empêcher les possédants d'accaparer les fruits d'une croissance unique dans l'Histoire, elle ne créait rien ; elle n'était qu'une machine à redistribuer, mariage de la charité et de la statistique, Société Saint-Vincent-de-Paul dirigée par des actuaires. Entre la crise de 1929 et le choc pétrolier, les masses travailleuses d'Occident sont devenues la *middle class* moderne : son nantissement en biens de consommation durables, amplifié par le baby-boom, a entraîné l'économie.

Désormais, la machine à redistribuer ne fait que répartir la rareté. La social-démocratie devient un social-corporatisme : professions fermées, garanties d'emploi, indexations, soutien des prix, autant de lignes Maginot qui coupent la société en deux : un secteur protégé et un secteur exposé.

Issus de l'univers salarial, les nouveaux corporatismes dansent sur des flonflons de gauche mais sont aussi égoïstes que ceux de jadis. Leur égalitarisme de façade ne corrige plus les inégalités, il les alimente. Gorden Tullock, de Virginia Polytechnic Institute, décrit, dans *Economics of Income Redistribution,* comment « la masse des transferts de ressources est faite aux groupes politiquement influents et mieux organisés, c'est-à-dire à la classe moyenne ».

Au bout du compte, ces classes moyennes sont en concurrence contre elles-mêmes puisque les riches mythiques que l'on rêvait de « faire cracher » sont trop peu nombreux pour affecter l'équation. La nouvelle structure démographique et le ralentissement de la croissance multiplient les receveurs et diminuent les payeurs, d'où les déficits destructeurs de l'État et la dégradation des services. Des études allemandes montrent même que, depuis quinze ans, l'investissement d'État ne crée pas d'emploi : il en détruit !

La social-démocratie, la société juste, est-elle impossible ? Sûrement pas, mais ce n'est pas l'État-providence qui la réalisera. Elle naîtra dans la « société civile », c'est-à-dire là où augmente « la part de jeu social qui échappe à l'emprise de l'État », par toutes sortes de mécanismes privés, ententes et contrats entre citoyens, collectivités, organismes. Ces services multiformes, pluralistes, la nouvelle société en est capable : la scolarité moyenne est de trois années plus élevée qu'au moment où les programmes actuels ont été adoptés.

Le mot d'ordre à la mode est la décentralisation. Mais dans la bureaucratie, la décroissance suscite spontanément de nouveaux comités ! On a même parlé d'un ministère de la Décroissance. La seule décentralisation, c'est celle du pouvoir, pas de l'administration. C'est la dégouvernementalisation. On a cru à tort que l'État était nécessairement le garant du bien commun. Or, s'il peut garantir par ses lois et par les tribunaux le respect des contrats privés entre individus, collectivités, associations ou organismes, il respecte rarement les siens. Ce qu'un parti fait, un autre le défait. Ce qu'un gouvernement même fait, lui-même le défait. Ce qui est promis ou donné un jour est changé ou repris. Au nom du bien commun. C'est-à-dire de l'intérêt électoral.

La crise de confiance n'est plus seulement envers les partis, forcés aujourd'hui de remiser des programmes et des projets dépassés. C'est la crédibilité même de l'État comme gardien du bien commun qui est mise en doute. C'est à une société décentralisée de définir ses besoins... pas à l'État de les déterminer a priori. La social-démocratie ne peut se réaliser, on commence à le voir, que par la somme des efforts privés, l'État-faiseur cédant la place à l'État-arbitre. La social-démocratie, c'est la responsabilité de chacun. L'autogestion au plein sens du mot.

Assurance-maladie :
le ver est dans le fruit

Octobre 1983

L a santé est le seul marché où il n'y a pas de limite à la demande. Même guéries les pneumonies, les appendicites et les maladies contagieuses qui nous conduisaient naguère au cimetière à trente ans, il reste toujours un rhumatisme, un muscle meurtri, quelque angoisse à calmer. L'explosion technologique et l'État-providence combinés ont déclenché l'expansion continue des coûts. Quand avez-vous demandé à votre médecin le coût d'une visite ou du traitement ?

Toutes les sociétés, riches ou pauvres, de gauche comme de droite, appliquent, quoi qu'elles prétendent, une forme de rationnement des soins : seuls changent les méthodes et les critères de sélection. Il y a le rationnement par l'argent : les riches sont soignés, les autres moins ou pas du tout. Dans la plupart des démocraties, les réformes sociales ont vu à corriger ce système injuste. D'autres régimes se sont contentés de maquiller d'idéologie le critère de la richesse : les pays socialistes offrent à leurs élites politiques ou militaires un accès immédiat à une meilleure médecine, d'importation s'il le faut.

En théorie, le rationnement pourrait être médical. C'est ce qu'on pratique lors des catastrophes et des guerres : les médecins font le tri, soignent les cas les plus graves, font attendre ceux dont le pronostic est mauvais. Mais ils n'ont jamais aimé assumer cette responsabilité : le serment d'Hippocrate leur impose de soigner tout le monde sans distinction. Ils ont aussi un intérêt économique dans la croissance de la consommation médicale ; l'augmentation du nombre de médecins devrait diminuer celui des malades, or c'est le contraire que l'on constate !

La plupart des provinces proposent un retour au rationnement par l'argent, par le biais de la surfacturation ou d'un ticket modérateur censé réduire l'abus de la consommation. C'est le nouveau champ d'affrontement des provinces et du gouvernement fédéral qui redoute la destruction du seul grand système social véritablement national, l'assurance-hospitalisation et l'assurance-maladie.

Du ticket modérateur, on sait qu'il est inefficace, la majorité des soins étant prescrits par les médecins. Quant à la surfacturation, qui crée deux médecines, une médecine Cadillac pour qui a les moyens de payer et une médecine Lada pour les autres, l'observation montre qu'elle ne vide pas les hôpitaux : elle en chasse les malades les plus pauvres, immédiatement remplacés par d'autres plus à l'aise.

Ce ne sont pas les seules méthodes de rationnement. Les réductions de budget, sous des apparences plus rationnelles, sont une technique aussi cruelle. Il s'agit, en effet, d'un rationnement par la faiblesse des sujets et par l'âge ! On compte en moyenne au Canada 150 000 personnes en attente de chirurgie préventive. La liste peut diminuer de deux façons : par le traitement, ou la disparition des plus amochés…

En fait, les réductions de budget ne diminuent en rien la demande, qui est à l'abri des cycles économiques. Les compressions, qui ne tiennent pas compte du progrès rapide de la médecine, sont un rationnement au niveau de la qualité. Des hôpitaux gratuits, bien tenus et parfaitement équipés deviennent tout à coup des hôpitaux gratuits mais sales et mal tenus, puis des hôpitaux aux urgences bondées, aux listes d'attente interminables, ravagés par les grèves (au Québec, on en est à cette étape), et où il faudra finir par payer pour entrer de toute façon (c'est là qu'en sont les autres provinces). Cette forme de rationnement est avantageuse pour les gouvernements, la réduction de la qualité des soins apparaissant découler de la conjoncture plutôt que décidée par les élus.

La vraie question est de déterminer la proportion de sa richesse qu'une société consacre à la santé. Aux États-Unis, on en est à 10 % du PNB, à 13 % en Allemagne, 5 % au Japon, 5,6 % en Grande-Bretagne, 7 % au Canada, un peu moins au Québec. Le niveau dépend de divers facteurs : par exemple, la structure démographique. Les dépenses s'accroissent avec le vieillissement rapide de la population. Un cynique a signalé qu'à un taux de mortalité absolu, les frais médicaux sont nuls alors qu'à un taux de mortalité nul, ils deviennent infinis ! Le niveau de développement de la médecine joue également un rôle majeur. Enfin, il y a le statut des médecins. Une commission ontarienne a récemment établi que le revenu réel des médecins (par opposition à la déclaration fiscale) est d'environ 100 000 dollars, soit de quatre à cinq fois celui de la moyenne de la population.

À quel niveau minimum de soins un citoyen a-t-il droit, qu'est-ce qui doit être gratuit, où commence la responsabilité personnelle ? Le cœur artificiel de Barney Clark doit-il être produit à des centaines de milliers d'exemplaires, au coût d'un milliard de dollars ? Quelle qualité de vie une société doit-elle choisir entre l'aspirine et la transplantation ? Quelle proportion de ses ressources une nation doit-elle consacrer à son bien-être physique ?

Sauvons Montréal

Décembre 1983

L es maux de Montréal sont bien connus. Le rapport Martin-Raynaud, qui lui prédisait un destin d'agglomération régionale, a plus de dix ans. La malade ne dépérit pas par absence de diagnostic, mais de traitement.

Montréal a beaucoup pâti du « projet de société » en chantier à Québec depuis vingt ans. Elle a souffert des thèses, des lubies et des toquades de la technocratie qui a détourné à son profit le pouvoir politique et, de plus en plus, économique. On a rendu la loi 101 responsable des malheurs de Montréal. Mais de même que cette loi est bien davantage une manifestation de la puissance des francophones et de la vitalité du français qu'un rempart nécessaire, de même elle est plus une péripétie qu'une cause de la « désanglicisation » qui est un processus continu au Québec depuis un siècle. Ceux qui sont partis l'auraient sans doute fait de toute façon, et y ont simplement trouvé un prétexte.

La fiscalité a eu des effets plus graves. L'impact psychologique des niveaux records de taxation au Québec est l'effet le plus visible. Mais leurs conséquences sur la compétitivité des entreprises et surtout sur les niveaux de consommation sont plus importantes. Pour posséder et conduire une voiture moyenne, il en coûte en cinq ans de 3 000 à 3 500 dollars de plus à Montréal qu'à Toronto — et on compte 1,3 voiture par famille. Pour disposer de ces dollars après impôt, il faut en avoir gagné de 7 000 à 9 000 de plus ! Or on gagne moins. Et cela, seulement pour la voiture. Ajoutez l'impôt, la taxe foncière, la taxe de vente…

Gilles Liboiron, du ministère des Affaires gouvernementales de l'Ontario, estime que l'un des moteurs de la croissance de Toronto est « l'arrivée de dizaines de milliers de Montréalais de 30 à 40 ans des milieux de la finance, des communications et des assurances, qui ont apporté avec eux un morceau de Montréal : leur métier, leur compte en banque, leur dynamisme ». Plus de 80 % des pertes d'emploi de la dernière récession sont survenues dans la région de Montréal, qui ne compte pourtant que les deux tiers de la population.

Mais il y a autre chose de plus profond. La décroissance de Montréal, c'est le sous-produit de l'explosion du secteur public au Québec par comparaison avec le secteur privé. L'État comptait en 1960 pour moins de 20 % du produit intérieur brut. Aujourd'hui, il pèse 50 %. Et le siège social de ce nouveau monopole est à Québec, une ville assez peu propice à l'économie de marché : l'an dernier, le quotidien *Le Soleil* se vantait d'être, avec ses 850 employés, le plus gros employeur après les divers gouvernements ! Pendant que Québec passait de 200 000 à 400 000 habitants, Montréal tombait (d'un million et quart) sous le million pour la première fois depuis 1941.

Une étonnante coalition de centralisateurs et de décentralisateurs, d'interventionnistes « colbertiens » et de marxoïdes de toutes dénominations, s'est involontairement trouvée réunie, et a vidé Montréal de son poids politique et étranglé sa croissance sous prétexte de « développer les régions », de combattre le « déséquilibre », quand ce n'était pas le capitalisme ou l'anglais. La Révolution tranquille est un processus de substitution d'une économie protectionniste régionale à une économie montréalaise ouverte sur le continent.

L'opinion pense savoir que les cités sont filles des campagnes. Le postulat n'est-il pas d'une aveuglante évidence ? Le monde rural existe de toute éternité. La ville n'en serait que le sous-produit, le déversoir. Dans une certaine tradition québécoise, cette dernière est même une tumeur monstrueuse qui finit par emporter tout le corps, pour ne rien dire de l'âme ! Les villes, puisque hélas ! il en faut, doivent être petites et formées de « quartiers » rappelant le *nec plus ultra* de l'association humaine, le village...

Mais on est là dans l'idéologie plutôt que dans la réalité. Des historiens comme Fernand Braudel, des économistes comme Von Thünen ont montré qu'au contraire c'est l'agglomération urbaine qui préexiste au monde rural. La ville engendre la campagne, crée le pays qui l'entoure, dit Braudel, par cercles concentriques « comme un caillou qui fait des ronds dans l'eau ». Elle crée une banlieue qui la fournit en produits frais et en services, puis plus loin des zones d'exploitation de produits lourds et de ressources plus rares.

La technologie a changé la forme des « ronds dans l'eau », mais il n'y a pas de périphérie sans centre, pas de contrée sans ville, de nation ni de système économique, intellectuel et politique sans métropole commerçante, de civilisation sans Rome, Venise, Amsterdam, Londres ou, aujourd'hui, New York. La vie nationale est une nébuleuse qui gravite autour d'un centre de haute densité. La notion de régions autarciques et égales, comme autant de casiers à contribuables, est une idée de géomètre et de fonctionnaire. Si la métropole du Québec n'est pas Montréal, ce sera Toronto. La maladie de Montréal, c'est le déclin du Canada français. La francophonie sans grande cité cosmopolite existe déjà. En Acadie.

Mais il y a pis encore. L'état actuel de Montréal est un jugement cruel sur son élite. L'évolution des dernières années n'était pas inévitable, mais la métropole ne s'est pas défendue contre l'agression. Socialement, c'était une ville divisée entre deux communautés en guerre. Le leadership économique était en fuite. La majorité des « décideurs », qu'ils soient de la banque, de l'industrie, de l'université, des médias ou de la politique, n'ont d'ailleurs pas le droit de vote ! Ils se croient à l'abri de la mégalomanie olympique et plébéienne dans leurs ghettos, comme Mont-Royal, Westmount, Outremont et autres Côte-Saint-Luc ou Anjou, mais se privent seulement de décider de leur avenir.

« Ça va comme c'est mené », comme disait l'autre. À Montréal, ça n'est pas mené. En une demi-douzaine de campagnes électorales municipales, on n'a pas entendu le quart du bout de l'ombre d'une idée sur ce que doit être le destin de cette ville. D'une part l'imprésario avec ses grandes eaux et ses feux d'artifice… d'autre part les chantres des quartiers, comme si une ville n'était pas bien davantage que la somme de ses parties. Sur la plupart des grandes questions vitales, langue, investissement, stratégie industrielle, lois du travail, transports, le maire de Montréal et ses conseillers interviennent moins qu'une chambre de commerce. Pas étonnant qu'ils ne pèsent plus guère que leurs collègues de banlieue.

Avez-vous peur des Anglais?

Janvier 1984

« Chez nous, une chance qu'on a la loi 101 », explique cet auditeur à l'animateur de la ligne ouverte. « Il a fallu la loi 101 pour affirmer notre visage français, à Beaconsfield. » Et pourquoi pas le prince Charles avec un béret, un litre de rouge et une baguette ? Le visage français de bien des Beaconsfield (une ville dortoir du West Island, peuplée à 80 % d'anglophones), c'est évidemment un masque, du théâtre.

« Je t'efface, je te ferme », disent, en fermant les yeux, les enfants en colère. Les autruches préfèrent le sable, et les gens au pouvoir, la censure. La loi 57, qui prétend corriger les abus de la loi 101, était, au début de décembre, un fameux tour de prestidigitation : elle faisait disparaître l'anglais ! Le mot « anglais » même, tellement sa vue blesse, n'y était même pas mentionné, ce qui est sans doute un progrès sur la loi 101, où il avait bien fallu consentir à l'inscrire dans quatre brefs articles du chapitre 8 sur l'enseignement. Désormais, il n'y a plus, pudiquement, que « d'autres langues ».

Pourtant, la menace que l'on prétend conjurer vient bien de l'anglais ? Pas de l'italien, de l'inuktitut, du serbo-croate ou du toungouze. La loi 101 n'a de raison d'être que l'anglais. S'il ne menace pas plus la minorité française d'Amérique que le vogoul ou le swahili, pourquoi légiférer ? Et s'il s'agit d'une de nos langues « historiques », au contraire de toutes celles de l'immigration, pourquoi feindre qu'elle n'existe pas ou en interdire l'usage en dehors des boutiques de cornemuses ? Et pourquoi ne s'attaquer qu'à la présence visuelle des anglophones ? Pourquoi ne pas s'attaquer aussi à la pollution sonore ? Est-ce là préférence pré-mcluhanienne d'intellectuels, de gens de l'écriture ? On verra plus loin, en fait, que la législation québécoise sur la langue s'explique aussi par la vertu qu'elle a de chasser vers d'autres longitudes les responsables de bruits inconvenants.

Car si la loi 57 apparaît comme un brouillon confus sans rapport avec les années de palabres qui l'ont précédée, si l'on semble improviser encore après tant de méditation, c'est que la chose est voulue. De part et d'autre, le temps perdu est du temps gagné : les uns préfèrent retarder la rectification de la loi jusqu'à l'arrivée aux affaires d'un parti qui ne pourra qu'offrir un meilleur *deal,* les autres se conduisent comme des gens qui savent qu'à 10 000 ou 15 000 départs par an, la tergiversation est une victoire. C'est la solution 401 (la route de Toronto). Dans les deux camps, on croit que le problème a tendance à se régler de lui-même.

La vérité, c'est que le français n'est pas menacé. En 200 ans, jamais les francophones n'ont reculé, ni en nombre, ni en qualité, ni en détermination, ni en influence, ni en richesse. Il y a 50 ans, ils n'étaient pas trois millions, n'avaient pas dix entreprises de plus d'une centaine d'employés, pas de ministère des Finances, pas de secondaire public. On comptait 12 collèges classiques, deux mini-universités de 1 500 étudiants chacune et les procès-verbaux du conseil municipal de Montréal étaient en anglais. Entre-temps, les anglophones sont disparus de Québec, de l'Estrie, de la Gaspésie et maintenant c'est Montréal qu'ils désertent : près d'un cinquième en dix ans, et le cinquième de ceux qui restent savent qu'ils vont eux aussi partir.

La vérité, c'est que les francophones sont sur leur territoire un peuple en pleine expansion, en voie d'occuper toutes les niches : culturelles, géographiques, économiques. Qui n'est pas plus menacé par ses voisins que les Danois par 90 millions d'Allemands ou les Portugais par l'océan espagnol. À la commission parlementaire sur la loi 101, on débloquait à faire pleurer : vous avez déjà vu six millions de personnes perdre leur langue en trente ans, comme certains le craignent… ?

On n'a pas assez relevé que l'extinction quasi magique a traditionnellement été la punition, le Bonhomme Sept-Heures, dont ses élites — curés, politiciens, intellectuels — ont menacé le peuple québécois, dans un sinistre chantage à l'exécution, quand il faisait la mauvaise tête. En 1951, le cardinal Léger l'utilisait pour fermer les cafés et les tavernes : « Si, dans dix ans, nous n'avons pas changé nos mœurs, nous n'existerons plus comme peuple ! »

Ce n'est pas une mince ironie que la défense du français soit aujourd'hui la chasse jalousement gardée du dernier carré de ceux qui ont encore « peur des Anglais ». Si vous êtes optimistes, si vous pensez que le français est en santé, vigoureux, et qu'ayant surmonté toutes les traverses, ceux qui l'ont jusqu'ici conservé sont promis à une étonnante floraison, on constestera votre lucidité, on mettra même en doute votre intégrité patriotique. Soyez pessimistes, au contraire, et croyez que le français est fichu, et on vous en confiera la défense !

L'héritage de Pierre Trudeau

Juin 1984

P aris valait bien une messe, pensait Henri IV, John Turner, lui, candidat au poste de premier ministre de l'État central, a ouvert sa campagne par un signal de son panache blanc en direction des provinces! Ses concurrents ont évidemment fait mine de croire qu'il s'était bêtement fourvoyé en ressuscitant une vieille affaire passée de mode : l'autonomie provinciale.

Mais l'étonnant, c'est que Turner ait étonné. Sa politique était pourtant la plus classique, la plus orthodoxe. C'est celle de Joe Clark et de Robert Stanfield, celle de Wilfrid Laurier qui, pour protéger l'autonomie des provinces — c'est du moins la version officielle — et soustraire le seul gouvernement francophone du pays aux interventions de l'État fédéral, a laissé l'Ontario opprimer sa minorité française. Celle surtout de tous les premiers ministres du Québec.

Il y a dix ans, c'aurait été la position de tout le monde. L'incident qui a désarçonné Turner montre à quel point Pierre Trudeau a profondément transformé le Canada. Sa vision prévaut partout : le gouvernement fédéral, et non plus les États provinciaux, est devenu le protecteur des minorités. Il a la responsabilité d'intervenir envers et contre les provinces pour assurer les droits des individus. Il le faisait depuis toujours en radio et télévision, il le fait dans les politiques de santé, il vise désormais l'éducation.

Pierre Trudeau s'en va sans partir : il a gagné non seulement la bataille de la Constitution, mais celle des esprits. Il laisse un autre pays que celui qu'il avait pris, un autre équilibre politique, un autre futur. Après lui, la réforme constitutionnelle ne semble plus possible.

Pendant cinq années, il a prêché le fédéralisme, mais pratiqué le centralisme. C'est une aimable fable que de décrire l'évolution constitutionnelle par le mouvement d'un balancier favorisant tantôt la centralisation, tantôt la croissance du pouvoir provincial : en fait, il n'y a jamais eu que des paliers dans un processus continu de consolidation du pouvoir « national ». Dans la vision de Pierre Trudeau, le gouvernement fédéral est à la fois le moteur principal de l'évolution du Canada et l'ombudsman des minorités. Il n'est pas innocent que le bilinguisme ait fait le plus de progrès pendant une offensive déterminante du gouvernement central, avec une réduction concomitante du poids des provinces.

Il n'y aura pas de « fédéralisme renouvelé ». Il n'y a que le fédéralisme « réel », comme disent les marxistes déçus. *What you see is what you get !* Trudeau n'a pas liquidé les indépendantistes. Les vrais vaincus, ce sont les rêveurs d'un nouveau fédéralisme décentralisé.

Dans le testament de Pierre Trudeau, la parole enfin rejoint l'acte. Les provinces sont de grosses municipalités concourant par leur administration à la réalisation d'un projet national. La nation canadienne existe par la force des choses, anglophones et (parfois) bilingues. Et comme le seul pouvoir français hors du Québec est celui d'Ottawa, les Québécois doivent se débrouiller pour en contrôler 25 ou 30 %. La théorie élimine l'idée de « nation » québécoise sans laquelle pourtant toute l'opération bilinguisme n'a aucun sens, non plus d'ailleurs que le *French Power*. Ainsi, jusqu'à la fin, la contradiction n'aura pas épargné Pierre Trudeau.

Si la « vision Trudeau » est irréversible, le comportement habituel des Québécois qui consiste à se désintéresser de ce qui se passe dans le reste du Canada, n'est plus valable. Des médias qui nous amènent tous les soirs à Beyrouth ou au Salvador n'ont pas un seul correspondant hors Québec ! Les passagers du wagon québécois semblent plus préoccupés du paysage que de l'état du train et de sa destination. Le PQ propose de débarquer, bien sûr...

Dans cette nouvelle configuration des choses, la seule stratégie possible des provinces est de traire la vache fédérale pour ce qu'elle peut donner, d'organiser la sécurité et l'aisance des citoyens, quitte à attendre un changement dans l'environnement politique, une « ouverture », comme on dit au hockey. Les provinces seront d'autant plus affaiblies que, pour relancer l'économie, Ottawa doit réduire ses déficits, en d'autres mots, son activité, ce qu'il ne fera pas ! car là est son pouvoir. Le déficit, le gouvernement le comblera en continuant à gruger les moyens des provinces.

La « mode à droite »
n'est pas une mode

Septembre 1984

L es sondages sont implacables depuis dix-huit mois. Alors que le Parti libéral recueille les deux tiers des intentions de vote, le Parti québécois en a moins du quart. Les dernières élections partielles confirment ce pronostic. D'où vient cette désaffection, cette indifférence ? Le Parti québécois n'a satisfait aucune de ses clientèles : ni les indépendantistes, ni les socio-démocrates, ni les chercheurs de « bon gouvernement ».

• Il a perdu à la fois la bataille de l'indépendance — son projet constitutif et sa raison d'être — et les indépendantistes — qui lui reprochent d'avoir lui-même répondu « non » à LA question en refusant de la poser, puis d'avoir conduit le Québec au carnage en ne tirant pas les conclusions de son échec référendaire et en allant « négocier » sans demander une confirmation de mandat.

Pis encore, le Parti indépendantiste, disposant enfin d'un État comme outil de recherche, n'a pas su, en huit ans, définir les étapes et les modalités de la séparation, encore moins en analyser les effets ni proposer les moyens de les compenser. Il n'avait sans doute pas été élu pour réaliser l'indépendance, mais ses électeurs attendaient sûrement un minimum de recherche et de pédagogie.

• Les nouvelles élites dirigeantes du secteur public et du syndicalisme, qui avaient pratiquement inventé le PQ pour mener à terme la réalisation de leur « projet de société », lui en veulent de s'être retourné contre elles aux dernières négociations, et ne lui pardonnent surtout pas d'avoir renoncé à réaliser le vieux rêve social-démocrate de l'expansion indéfinie du secteur public, identifié au bien commun.

• Les citoyens, qui espéraient seulement « un bon gouvernement » — principalement pour instaurer la paix sociale après une décennie de grèves à répétition dans les services publics — ont plutôt eu l'impression d'assister à un interminable match de la Ligue nationale d'improvisation...

Mais il y a autre chose. Un phénomène de fond auquel le Parti québécois ne pouvait rien. Il n'est surtout plus dans la bonne parade. Les idées devraient, comme le yaourt, porter une date : « Meilleur avant le... » Le programme du PQ réunit dans un incunable de 1968 des idées et des projets nés pendant la Révolution tranquille. Une seizaine d'années, c'est l'espace précisément qui sépare la percée de Duplessis de sa rupture avec ses alliés libéro-nationalistes ; c'est le temps qui sépare la trudeaumanie du ras-le-bol. Une époque.

La machine politique québécoise est la réalisation momifiée d'un rêve des années 60, où le « maître chez nous » semblait ne pouvoir être que collectif. Les citoyens rêvent aussi désormais d'être chacun maître chez soi. Depuis 1962, l'information est plus abondante et plus diverse, la scolarité a augmenté de quatre ans, le niveau de vie a doublé. Des gens qui avaient principalement besoin de sécurité et de protection (le leitmotiv du PQ) se sentent plus sûrs d'eux, plus ambitieux et plus audacieux. Ils refusent désormais que papa-maman lacent leurs bottines. Ils abhorrent qu'on leur dise quoi faire, quand, où, comment et avec qui. Et devant l'inutilité de leurs protestations ou l'échec des réformes, ils concluent que la seule façon de se débarrasser de la tutelle des bureaucrates est de voter contre le parti qui est leur incarnation.

L'État a prétendu se faire le seul garant de la liberté, du développement et de l'identité. On sait désormais qu'il restreint la première, limite le second et simplifie terriblement la troisième. Son action apparaît dévaluée, à gauche comme à droite. Les sociétés modernes sont trop complexes pour être dirigées et organisées d'un point central. Il y a, écrit Jean-François Revel, « une rupture entre la complexité du monde et la simplicité, j'allais dire l'archaïsme, du pouvoir politique ». À mesure que les citoyens sont plus à l'aise, « le politique est de moins en moins capable d'assurer la planification et le guidage » d'économies complexes (*Rapport de l'Institut français des relations internationales*, éd. Economica).

Voilà pourquoi il y a une « mode à droite ». Sauf que ce n'est pas une mode. Et que ce n'est pas non plus à droite, mais au centre de gravité même de notre culture. L'économie n'est plus seulement le bois ou l'acier. Désormais, c'est l'information, la connaissance, la matière grise. Et s'il est un domaine où personne ne veut voir l'État avec ses grosses bottes, ses lois simplificatrices et sa police, c'est celui-là ! Le foirage de l'affaire des ordinateurs scolaires, symboles même de la nouvelle économie, est la plus éclatante démonstration de l'obsolescence des pouvoirs publics depuis cette mutation de culture.

Si la seule prolifération législative était une recette de succès politique, le Parti québécois serait imbattable avec ses 721 lois en 8 ans. Mais les ingénieurs des âmes ont oublié qu'il ne suffit pas de presser le bouton LOI pour changer la société. Ou l'empêcher de changer. Quand il prétend faire autre chose que réconcilier, le pouvoir, c'est l'impuissance. Il est étonnant que le PQ, malgré sa majorité et sa forte implantation sociale, n'ait pas senti où se situent les consensus.

En défendant la langue, les intellectuels protégeaient leur outil de travail et leur pouvoir sur la société. La nouvelle élite économique n'agit pas autrement quand elle cherche à apaiser le délire réglementaire du club socio-syndicaliste ou à bloquer l'adoption par ses concurrents de projets comme le S-31 (qui vise à empêcher la Caisse de dépôt du Québec de posséder plus de 10 % des actions du grand holding canadien-anglais Canadian Pacific). Les gens ne votent pas d'abord pour des idées ou pour un « bon gouvernement », mais pour leurs intérêts. Leur notion de bon gouvernement n'est pas celle des idéologues.

Les électeurs ne peuvent pas réformer le Parti québécois. Peut-il le faire lui-même ? Peut-il apprendre à vivre sans l'indépendance, en dehors du socialisme et digérer le libéralisme ? Serait-il alors encore le Parti québécois ? Le danger, c'est la stratégie du désespoir, la nostalgique fuite en avant dans son projet corporatiste — comme la syndicalisation forcée ou une réforme électorale qui amplifierait la fragilité du gouvernement du Québec. Il se condamnerait à redevenir ce qu'il a d'abord été, un mouvement d'animation et de promotion de quelques idéals, une sorte de conscience sociale-nationale, d'ange gardien, de NPD québécois, plutôt qu'un parti de gouvernement. Mais il condamnerait les électeurs à se précipiter encore une fois tous du même côté du navire, il les livrerait à un Parti libéral hypertrophié, pressé d'arriver inéluctablement au pouvoir, mais pour quoi faire, personne n'en a la moindre idée…

Le suicide de la social-démocratie

Octobre 1984

L e déficit fédéral est cette année de 31,5 milliards de dollars. Dans quatre ans, à l'extinction du mandat du gouvernement qui vient d'être élu, la dette nationale aura doublé si rien n'est fait. Le seul paiement des intérêts annuels — la dépense qui croît le plus vite — dévore déjà le quart du budget, Il en engouffrera alors le tiers. Cette année, le contribuable moyen travaillait tout janvier et février uniquement pour payer l'intérêt de la dette accumulée : dans quatre ans, il devra continuer jusqu'au... 1er avril, date prédestinée. Comme une tumeur maligne, le déficit draine à lui toutes les ressources nouvelles, absorbe l'épargne, asphyxie les entreprises, met les citoyens au chômage. Il menace non seulement la croissance, mais la stabilité.

Le financier Felix Rohatyn, l'homme qui a « sauvé New York » il y a quelques années et que consultent aujourd'hui tous les pays écrasés sous les dettes, parle de « roulette russe ». Il ne reste plus qu'une poignée d'économistes, la plupart marxistes ou apparentés au NPD, pour penser que le déficit n'a pas tant d'importance ou qu'au contraire, il faut l'accroître encore pour éviter la récession et stimuler l'emploi.

31,5 milliards ; cela représente un emprunt de 100 millions par jour ! Le budget de Sherbrooke. Ou deux grands hôpitaux. Ou quatre chasseurs-bombardiers. Ou un gros stade couvert. Ou un mois d'aide à l'étranger. Tous les jours !... En liasses d'un dollar bien cordées comme des tranches de pain, cela recouvre la ligne blanche de la Transcanadienne, de Halifax à Vancouver et retour. Sans oublier la traditionnelle plongée à Miami, aller-retour aussi.

Les programmes sociaux comptent pour la moitié du budget. Le service de la dette, nous l'avons vu, pour le quart. Autrement dit, pour éliminer le déficit, il faudrait faire disparaître tout le reste de l'activité gouvernementale! Or on ne coupera pas beaucoup là-dedans quoi qu'on prétende. L'idée que la gestion gouvernementale est un bordel et qu'on peut faire davantage avec moins d'argent est un mythe. D'autre part, les gros organismes ont l'instinct de conservation, et le déficit à lui tout seul est la plus grosse affaire de tout le pays, plus grosse même qu'Hydro-Ontario, et assure l'emploi de 150 000 des 600 000 fonctionnaires fédéraux!

On peut donc prévoir ce qui va inévitablement se passer. Coincé entre l'obligation d'accroître des revenus qu'aucune surchauffe économique, bien au contraire, ne vient gonfler et celle de sabrer dans les dépenses, le nouveau gouvernement trouvera rapidement un prétexte pour nous servir un cocktail de nouvelles taxes et de réduction de programmes.

Les élus ont promis de ne pas « réduire » les programmes sociaux? Ils vont les « rationaliser ». Trouver un bon milliard en « réorientant » les allocations familiales (vers ceux qui en ont vraiment besoin). Autant en « simplifiant » les subventions à l'industrie pétrolière. Le triple en mettant fin à un saupoudrage d'aide à l'expansion régionale qui est surtout une surenchère politique contre les gouvernements provinciaux. On fera sans doute en sorte que l'assurance-chômage ne rapporte pas davantage que le salaire minimum et qu'elle encourage la stabilité de la main-d'œuvre.

Il faut enfin prévoir la facturation de certains services : même le gouvernement socialiste de François Mitterrand n'a-t-il pas adopté le « ticket modérateur » en matière de santé? Les dépenses militaires et l'aide à l'étranger ne seront pas non plus accrues comme on l'avait promis. Et comme il n'apparaît plus possible d'augmenter l'impôt sur le revenu sans encourager la fraude fiscale, ni de matraquer des entreprises qui n'ont pas encore suffisamment investi, il faut s'attendre à l'apparition de nouveaux impôts difficiles à contourner, comme une « taxe à la valeur ajoutée », sorte de taxe de vente fédérale.

Conservatisme? C'est ce qu'on dira — et que l'on aurait dit peu importe le parti élu. C'est le déficit et non pas l'idéologie qui est le pire ennemi des chômeurs et qui met les programmes sociaux en danger. Le progressisme commence par le budget. Et il y a une chose pire que de faire des promesses irresponsables, c'est de les tenir.

Le cheval de Leontiev
ou la redéfinition du travail

Janvier 1985

La formule était belle : il suffisait de gaver le cochon économique du grain de la confiance tory pour mettre au saloir le lard de l'emploi ! Mais *where is the bacon*? Les reaganiens veulent nourrir la bête de pâtée fiscale — Camille Laurin préfère la souveraineté politique pour avoir « les outils du plein emploi » — mais, au fond, la recette est la même : stimuler l'économie soit par des baisses d'impôt, soit par des injections de dépenses gouvernementales, pour assurer la reprise et éliminer le chômage.

La reprise, pourtant, elle est là depuis plus de vingt mois, vigoureuse, et le chômage reste à la barre des 12 % — plus de 1 300 000 personnes, dont une moitié de jeunes. S'ils avaient moins de tact envers leurs électeurs, les hommes publics admettraient qu'aucune stimulation ne va régler ce problème permanent qu'amplifie chaque sortie de récession...

Quand les « logues » nous expliquent que le chômage n'est pas cyclique, il faut comprendre que le progrès des connaissances continue à réduire non seulement le temps de travail, mais le nombre de gens nécessaire pour assurer la vie. La machine doit en effet nous libérer de quoi sinon de la sueur, de la fatigue, de la routine abrutissante...

Pendant ce temps, les demandeurs d'emploi se sont multipliés. Non seulement on vit plus nombreux, mais plus longtemps. Au début de ce siècle, à Montréal, l'espérance de vie d'un enfant mâle d'un an n'était que de 49 ans. D'autres classes sont arrivées sur le marché du travail : 72 % des femmes de moins de 30 ans, soit désormais la même proportion que les hommes. Des gens qui « jobbinaient » dans les campagnes et qui, dans le milieu urbain, ont désormais besoin d'emploi. Des réfugiés économiques du tiers monde.

Les partis « économiques » suggèrent de surchauffer la machine. Les partis « sociaux » choisissent la stratégie du naufragé : partager ce qui reste de travail — alterner un travailleur, un chômeur, un travailleur, un chômeur, et ainsi de suite.

Ce ne sont malheureusement que des trucs comptables. Les Zorros de l'économie socialiste ont depuis longtemps perfectionné l'art de se tirer dans le pied : le vrai « partage de l'emploi » commençant par le partage de la masse salariale et les travailleurs n'en voulant évidemment pas, ce que l'on appelle partage consiste à faire produire la même chose par plus de gens, à un coût supérieur. Cette approche serait peut-être possible dans une économie totalement fermée, mais le Québec écoule près de 50 % de sa production à l'étranger, et fera partie d'ici quelques années d'un marché commun avec les États-Unis. D'ailleurs, on a constaté que lorsque la semaine de travail se réduit suffisamment, elle permet simplement aux individus les plus dynamiques d'occuper deux emplois, ce qui aggrave le problème au lieu de le régler.

Le partage n'est pas la seule technique de camouflage. D'aucuns sont prêts à sabrer dans l'assurance-chômage pour faire disparaître les chômeurs. On ne fait pas disparaître la fièvre en cassant le thermomètre. Bien sûr, des réformes s'imposent. Ainsi c'est de la provocation que d'offrir des prestations plus élevées que le salaire minimum. Certains retraités traient la vache de l'assurance-chômage quelques mois avant de réclamer leur pension. Et on a noté que plus du quart des bénéficiaires (27 %) ne trouvent de travail que dans les jours qui précèdent l'expiration de leur période de prestation ! Mais ce seraient là des mesures pour protéger les vrais chômeurs contre les faux, pas pour créer de l'emploi.

L'assurance-chômage devra de plus en plus être considérée comme un revenu contributif versé à ceux dont l'emploi a disparu. Les sociétés développées comportent une proportion sans cesse croissante de citoyens qui ne « travailleront » plus, au sens de produire des biens matériels. Plus le travail atteint des niveaux de technicité élevés, plus il échappe à ceux dont le niveau de formation est trop bas, par manque de motivation ou de capacité. Au début de ce siècle, nulle reprise, nul partage, nul recyclage n'auraient permis, dit le Nobel Vassily Leontiev, de garder le cheval au travail à côté de l'automobile.

On ne demande plus au cheval de travailler. Au contraire il vit mieux que jamais, dans une civilisation de loisir.

La proportion des « non-productifs » s'accroît sans cesse par l'allongement de la longévité, l'abaissement de l'âge de la retraite, l'allongement de la scolarité… C'est ce qu'on appelle les conquêtes sociales. Elles vont continuer. Mais personne n'est inutile. Toute activité doit être comptabilisée. Ce sont nos définitions du travail et de la productivité qu'il faut changer.

Qui va prétendre que de s'occuper de personnes âgées, parents, amis ou voisins, élever des enfants, consacrer son temps aux écoles, aux hôpitaux, aux services communautaires, étudier, n'est pas de l'activité productive ? Beaucoup de ceux qui refusent cette extension de la notion de productivité sont pourtant prêts à consentir une pitance aux chômeurs pour le nettoyage des fossés, le reboisement ou… le service militaire. On voit mal en quoi il est plus valable de creuser des trous que d'aider ses semblables ou d'accroître ses capacités.

Un changement de civilisation, c'est un changement de conscience et de langage.

Prière d'avoir le tonnerre modeste

Mai 1985

Comment le gouvernement procède-t-il pour créer une PME? Il achète une multinationale, et il la garde trois ans...

Ce mot cruel était à l'origine destiné à stigmatiser l'ineptie bureaucratique. Mais il décrit aussi ce que beaucoup de contribuables attendent désormais de l'État : rapetisser. Ce qui explique pourquoi les partis éprouvent de la difficulté à lever des candidats de prestige. Ces difficultés de recrutement ne sont pas dues seulement au risque électoral. C'est qu'il n'y aura plus « d'équipe du tonnerre »...

Il y a 30 ans, une société tenue à l'écart des pouvoirs et des affaires demandait à une génération de jeunes mandarins de créer une machine administrative et un débouché pour ses diplômés. Cette machine a grossi vertigineusement, il ne faut pas s'en étonner : elle recrutait systématiquement les candidats les plus brillants, les plus dynamiques, les plus instruits qui, comme tout le monde, rêvaient de succès et le mesuraient par l'expansion des clientèles, des services, du personnel, des budgets. Le système récompensait qui dépensait le plus. Le char de l'État que les Québécois se sont acheté est « un char loadé », avec toutes les options ! Or dans le secteur public, il n'y a pas d'exportation possible. L'expansion a atteint ses limites ; l'État ne bougera plus sauf à reculons.

Et le rêve de la « société-à-bâtir » qui a attiré en politique les Forget, Castonguay, Garneau, Parizeau, Lalonde, Marchand ne joue plus. Qu'irait-on faire dans cette galère ? Pourquoi — quand on a une banque, une Bourse, un bureau d'ingénieurs ou de comptables, un grand journal, un laboratoire, une PME en expansion — s'imposer la corvée d'une campagne électorale, huit mois par année de théâtre de l'absurde à l'Assemblée, sécher dans des comités de fonctionnaires, sacrifier toute une vie privée? Et cela, non plus pour créer, mais pour mettre les freins?

Car aujourd'hui, aller au pouvoir, c'est aller à l'ennemi. Il y a de plus en plus souvent conflit entre la société et son service public, les citoyens et leur État. Fini le temps des grands programmes, de la réforme systématique des institutions, où gouverner, c'était décider, et surtout se rendre populaire en vaporisant quelques milliards sur les problèmes. Désormais, il faut naviguer par petit temps, réduire l'œdème de la fonction publique, contrôler la techno-bureaucratie, stopper un party de grèves dont, pendant vingt ans, on n'a pas osé dire qu'elles sont abusives, rabattre la fiscalité, faire plus avec moins, pour ne pas dire avec rien, en un mot, gérer. La Révolution tranquille a fait un tour complet et s'est dévorée elle-même. Comme jadis, la vraie tâche consiste à remettre routes, hôpitaux, écoles en état, à assurer l'intendance.

En même temps que la tâche de gouverner apparaît comme une condamnation à gérer le désastre, le secteur privé offre enfin de l'avenir aux francophones. La porte est ouverte et, surtout, la croissance est là.

Pour couronner le tout, les candidats potentiels perçoivent un cynisme certain de l'opinion, ce que l'on pourrait appeler « la fin de la confiance ». Déçus par le gouvernement des collégiens de 1968 — « dialoguer, c'est se faire fourrer » ou l'inverse? —, ce n'est plus de l'État et du secteur public que les citoyens attendent la qualité de leur vie. Les vendeurs de changement, c'est bien fini. Tel professeur chuchote qu'il n'indique même pas sur son curriculum qu'il fut récemment député à l'Assemblée nationale! Le PQ ne trouve plus comme candidats que des poteaux syndicaux, des instituteurs, des militants d'associations diverses. Chez eux, le secteur privé ne fait pas concurrence. Ce phénomène présente le danger supplémentaire de favoriser l'accession à la vie politique de ceux-là mêmes qu'il faut contrôler : les fonctionnaires et les travailleurs du parapublic, qui ont la motivation fondamentale d'aller sauver « leur » système, ce qu'ils appellent éloquemment « les acquis »! On demande au renard, comme on dit, de garder les poulets.

Fonction publique : la pseudo-négociation

Juillet 1985

O pposés à toute réforme du régime de relations de travail du secteur public, même au simulacre de solution que propose un gouvernement mourant, les leaders de la CEQ et de la FTQ nous promettent « la pagaille ». Comme si, depuis vingt ans, on avait autre chose ! Pagaille dans les écoles, les hôpitaux, les transports publics, l'administration centrale, et qui a emporté successivement tous les gouvernements. Dans la même page d'un quotidien, les citoyens étaient menacés ce printemps de pagailles chez les ambulanciers, chez les pompiers, aux Postes et dans les services aériens. Infligée par un pays étranger, cette situation serait considérée comme une déclaration de guerre.

L'opposition libérale propose d'abolir le droit de grève. Il n'est pas évident que ce soit le droit de grève qui est la cause du chaos actuel. Il existe, avec des limitations, dans beaucoup de pays (où on l'utilise peu). On fait valoir avec raison, d'autre part, que c'est un droit qui se prend quand on ne l'a pas.

Il faut plutôt se demander pourquoi on fait la grève dans le secteur public. Ce n'est pas un *sweatshop*. Au contraire ! Voilà des travailleurs dont la plupart ont des tâches peu dangereuses, des rémunérations supérieures ou égales à celles du secteur privé, des conditions de travail exceptionnelles avec vacances, retraite anticipée et même congés sabbatiques, sécurité d'emploi à peu près absolue, à l'abri des récessions, des faillites...

Dans ces conditions, la négociation est devenue plus importante que son objet. Elle est devenue l'enjeu même. Pis, un jeu. Un jeu où l'on gagne, où l'on perd. Il y a un côté sportif dans l'affrontement : les Canadiens contre les Nordiques. Ce que ces syndiqués de luxe appellent la « dignité », c'est l'amour-propre. Ce qui mène à la grève et qu'il faut éliminer, c'est la négociation même, parce qu'elle implique qu'il faut un perdant.

Le gouvernement disposait pour sa réforme — et ne semble pas s'en être servi — d'un rapport passionnant (au contraire de tant d'autres documents gouvernementaux indigestes), *Caractéristiques du régime des relations de travail*, de Jean-Claude Cadieux, secrétaire du Comité des priorités, et Jean Bernier, professeur de relations industrielles à Laval. Ils concluent que « notre régime ne favorise pas dans les appareils syndicaux la prudence et la rigueur dans l'analyse politique ». Il conduit au contraire à l'utilisation de la négociation comme moyen de transformer subrepticement notre système politique d'Assemblée en une « cogestion » illégitime où les syndicats se servent du secteur public comme « locomotive » pour « changer le système » économique. Le pouvoir que les lois leur accordent ainsi fait jouer au maximum le terrorisme de la « solidarité » et des représailles futures.

Le droit de négocier, demandera-t-on, n'est-il pas fondamental ? Dans la plupart des pays étudiés par Cadieux et Bernier, il n'existe pas dans le secteur public, alors que le droit de grève, lui, est protégé.

Dans ces pays, le régime des relations de travail du secteur public obéit à un régime différent de celui du secteur privé, et comporte de nombreux contrepoids :

• Les « négociations » ne se font pas dans un cadre contractuel mais sont de simples discussions au terme desquelles l'État dépose sa politique sous forme de loi, ce qui engage le Parlement. Il a intérêt, pour éviter les grèves, à bien traiter ses fonctionnaires.

• Le pluralisme syndical est protégé, c'est-à-dire le droit de tout individu d'être membre du syndicat de son choix ou d'aucun, de verser sa contribution ou pas. Les syndicats eux-mêmes s'opposent, au nom de la démocratie, au syndicat unique et à la perception de la cotisation à la source.

• Le droit à la grève ne nie pas le droit au travail, c'est-à-dire qu'on y participe ou pas, selon sa conviction.

• Les grèves sont des manifestations, des « interpellations » du gouvernement. La grève illimitée est considérée comme un putsch. Et en cas de crise sociale, l'État fait appel à l'armée ou à la réquisition militaire des grévistes.

De plus, même dans un pays comme la Suède, la convention limite le domaine du négociable aux heures de travail et à la rémunération. Le niveau et la qualité des services sont la responsabilité de l'État, puisqu'il serait « contraire à l'ordre démocratique de donner aux employés de l'État par la négociation plus d'influence que les autres citoyens sur les objectifs, l'orientation, l'ampleur et la qualité des services publics ».

Quant à l'idée que le secteur public puisse servir de « locomotive » au secteur privé, elle apparaît absurde. La voiture ne peut traîner le cheval. Encore une fois, selon leur habitude, les Québécois — depuis vingt-cinq ans à la recherche d'un meilleur emplacement pour le moyeu de la roue — se sont payé le *kit,* le « gros char avec toutes les options ». On ne s'étonnera pas que le « droit de négocier » ait été dans le secteur public un droit fictif. C'est le Parlement qui a déterminé les conditions de salaire et de rémunération — comme en Europe — mais après de longs et pénibles mélos destinés à sauver la face de la soi-disant gauche social-démocratique.

Les grèves de la fonction publique n'ont pas servi les employés : qui oserait prétendre qu'ils auraient aujourd'hui des conditions de travail et de rémunération inférieures ? Le régime actuel leur a simplement imposé une invraisemblable série de grèves. Les travailleurs du secteur public ont droit, comme tout le monde, d'éviter autant que possible les arrêts de travail pénibles et coûteux ; ils sont actuellement systématiques.

Il faut appeler les choses par leur nom : les grèves du secteur public ont été des grèves de pouvoir, destinées à faire passer certains niveaux de décision sous l'autorité syndicale, à faire de la politique sans risques, une usurpation. Quand l'« acquis » se fait dans un seul sens, et irréversiblement, il s'agit d'une lente prise de pouvoir.

La « démocratie syndicale » stagne sur des modèles politiques des années 30 : parti unique, embrigadement obligatoire, manifestations et actions de masse, vote à main levée, monolithisme idéologique. Si le secteur public peut servir de locomotive, de champ d'expérimentation, c'est là. Pour trouver des modèles plus libéraux à un syndicalisme sclérosé qui, depuis une génération, n'a rien dit, rien inventé, rien produit, qui est devenu un problème plus qu'une solution, et qui, pour cette raison, défend de moins en moins bien ceux qu'il prétend aider.

Le dernier jour
de la Révolution tranquille

Novembre 1985

Les historiens choisiront probablement le vendredi 27 septembre, à 20 h 41 précises, comme fin de la Révolution tranquille. C'est le moment où René Lévesque est descendu de la tribune de l'aréna Maurice-Richard au son, une dernière fois, de *Gens du pays*. Cette « Révolution tranquille » se répétait depuis plusieurs années, radotait même, mais s'accrochait.

Quarante-huit heures plus tard, presque à la minute près, à 20 h 51, une autre époque commençait avec l'annonce officielle de l'accession de M. Pierre-Marc Johnson à la tête du Parti québécois. Après l'ère des certitudes, celle de l'ambiguïté. Après l'ère de l'émotion, le temps du possible.

En 1959, le Québec était une province d'un dominion britannique. Une juridiction presque sans État, sans moyens d'intervention sur son destin. Le pouvoir résidait encore dans les campagnes. Le français, honoré sur les tribunes patriotiques, était contrebattu sur tous les fronts : affaires, travail, cultures nouvelles, modernité. La scolarité était moindre que dans la plupart des sociétés industrielles et l'école enlisée dans le passé. Le contrôle des richesses naturelles et de l'énergie échappait presque totalement aux Québécois. Il n'y avait d'ailleurs pas de Québécois mais, même au Québec, qu'une minorité canadienne-française. Pour cette société coupée des affaires nationales, de l'économie et du développement technologique, la politique allait devenir l'instrument privilégié, l'unique intérêt, une passion. Tout.

Le grand bond en avant, c'est ici. D'autres pays, la Chine, Cuba, l'Iran, ont connu davantage de bouleversements. Mais au changement politique et au développement économique, le Québec a joint le progrès social et l'épanouissement des libertés. Tout s'est effectué sans violence, malgré la surchauffe émotive. Tous les partis, malgré leurs disputes, ont poussé dans le même sens : le Parti libéral de Jean Lesage et de René Lévesque, comme celui de Robert Bourassa, l'Union nationale de Daniel Johnson comme le Parti québécois.

L'équation de 1985 est totalement changée. Les Québécois existent. Ils disposent d'un État et d'une administration. Ils contrôlent une partie importante de leur épargne, qui commence à fructifier, comme leurs richesses naturelles, même si elles ne comptent plus guère : le minerai de l'avenir, c'est la matière grise. Mais là aussi, les Québécois ont cinq années de scolarité de plus qu'en 1960 ; il reste des enfants à mettre à l'école, mais on en est surtout rendu à réformer la réforme : après la quantité, la qualité. Une majorité de locataires est devenue propriétaire. La natalité s'est effondrée et le Québec sera largement le fruit des politiques d'immigration et du succès économique. Demain sera dominé par le commerce extérieur et les négociations avec l'étranger ; il n'est plus question uniquement de créer des entreprises, mais de passer en grande vitesse à une taille internationale.

La politique aussi a changé. Le défi ne consiste plus à créer un État et des services, mais à en arrêter l'hypertrophie. Aux hommes politiques, on ne demande plus d'être des héros, d'aller conquérir et bâtir. Au contraire ; on leur intime l'ordre d'en faire le moins possible. De gérer avec une rigueur avaricieuse.

Mais surtout, la politique, qui consistait hier encore à vendre des idées, à arracher l'adhésion, avait besoin de fidèles ; parce que l'électeur est devenu un consommateur, la politique consiste à gérer la demande et s'est faite marketing. Robert Bourassa avait pressenti cette évolution il y a plus de quinze ans. C'était le premier des technocrates. Pierre-Marc Johnson met son parti au même diapason.

Le parti de René Lévesque était celui des certitudes, le parti de Pierre-Marc Johnson est celui de l'ambiguïté qui caractérise l'époque. La souveraineté était un destin ; aujourd'hui, le destin est une « police d'assurance ». En matière d'autodétermination, on réclame le droit plutôt que la chose.

Des vieux militants du PQ reprochent à Pierre-Marc Johnson de s'être emparé de leur parti au lieu de créer le sien. Et beaucoup d'électeurs préféreraient que le Parti libéral ait un nouveau leader. Mais nous sommes vraiment à l'ère du recyclage : aujourd'hui, on rénove les partis, on retape les leaders ! Tous les deux se présentent comme les hommes les mieux capables de gérer les « nouvelles valeurs », c'est-à-dire de diriger une société multiculturelle, d'affronter des problèmes économiques qui dépassent les frontières, d'immoler sur l'autel du pragmatisme les théories et idéologies survivantes. Ne nous demandez pas d'idées, semblent-ils dire, nous avons la compétence. Quant au destin constitutionnel, tous deux ont tiré la leçon de 1980 : les Québécois voulaient se prononcer, ils l'ont fait, pour le meilleur ou pour le pire.

Les deux hommes, enfin, se présentent comme des rassembleurs. C'est là qu'il faut s'inquiéter. La démocratie divise. Choisir, c'est se différencier. Il faut espérer que les électeurs ne partagent pas ce souci d'unité au point de se précipiter, aux prochaines élections, de bâbord à tribord comme ils l'ont déjà fait, élisant une Assemblée nationale totalement déséquilibrée. À l'ère de l'ambiguïté, les électeurs autant que les politiciens doivent savoir être ambigus.

Libre-échange :
attention au mode d'emploi

Janvier 1986

M algré un chômage élevé et apparemment irréductible, on n'a pas beaucoup parlé d'emploi dans la campagne électorale. Sans doute les deux prétendants au poste de premier ministre savaient qu'ils ne peuvent jouer, dans ce dossier, que les seconds rôles : c'est à Ottawa que se fait la mise en scène du grand spectacle *FREE TRADE*, une production canado-américaine où vont jouer au moins un million de travailleurs.

Les effets du libre-échange sur l'économie ne sont guère connus. C'est la nouvelle tarte à la crème des économistes, qui s'entendent pour y voir « des problèmes à court terme, des avantages nets à long terme ». Dans le milieu des affaires, on est plus mesuré.

Nous avons réclamé il y a un an, sinon une commission d'enquête, du moins une très large consultation : Quel est l'avis, par exemple, des 50 premiers employeurs québécois ? Ce travail n'a pas été effectué, et, pour l'essentiel, le gouvernement du Canada s'est fait le propagandiste de l'idée et ne semble pas avoir d'autre stratégie que « d'aller jusqu'au bout » dans ses dangereuses fréquentations.

Les États-Unis n'ont pas tardé à faire valoir leur position. Tout est « sur la table », non seulement les tarifs douaniers et les autres barrières, mais tout ce qui, dans les lois, les règlements et les pratiques canadiennes, pourrait entraver les grands fauves dans leur assaut sur un marché petit, certes, mais qui n'est pas moins pour eux l'équivalent d'une nouvelle Californie.

Tout est considéré comme protectionnisme susceptible de faire l'objet de mesures de rétorsion : assurance-chômage, subventions d'aide aux régions, assurance-maladie... tout ce qui distingue, en somme, le Canada des États-Unis. Même les timides protections que le Canada tente d'accorder à sa minimale industrie cinématographique, à ses moyens d'information, aux programmes et manuels de ses écoles, devraient sauter. On « respecte l'identité » du pays, mais privé des outils et des moyens de cette identité.

Il faut nettement distinguer trois choses : les protections tarifaires, qui doivent faire l'objet d'analyses coût-bénéfice précises, dans toutes les industries concernées. Le libre-échange est un idéal vers lequel on tendra, quitte à y arriver secteur par secteur.

Deuxièmement, le domaine culturel — rarement exportateur, dans les petits pays. Il est l'expression d'un marché interne dix fois plus petit que le marché américain, dont il est séparé par la frontière la plus poreuse du monde. Les Américains voudraient l'entière liberté d'y écouler des productions excédentaires qui ne leur coûtent rien et surtout d'effectuer toutes les prises de contrôle possibles. Demandons-nous seulement de quel genre d'information nous disposerions dans ce débat si la radio et la télé, les journaux, les magazines, l'édition et les communications étaient totalement contrôlés par les États-Unis !

Enfin, les institutions. Une proposition amusante a été faite récemment dans une lettre par une certaine Élaine Brière, fondatrice du « parti expansionniste » : Que les États-Unis se joignent au Canada, suggère-t-elle, plutôt que l'inverse. Ainsi, ils auraient une sécurité sociale améliorée, un système d'assurance-maladie, moins de ghettos et de violence et un meilleur contrôle des armes à feu...

Tom Axworthy, ancien secrétaire de Pierre Elliott Trudeau, professeur à Harvard, demande : « Est-il plus important d'être 10 % plus riche ou d'être Canadien ? » C'est-à-dire de s'assurer un modèle de société plus « civilisé », plus attentif aux besoins fondamentaux des personnes, à la qualité du partage.

Le débat est d'ailleurs aussi idéologique qu'économique. Bien des milieux ultra-conservateurs, déçus de voir que le gouvernement a renoncé à liquider des programmes sociaux et des interventions étatiques qu'ils estiment néfastes à la conduite de leurs affaires, voient dans le libre-échange une façon d'ouvrir le Canada au néo-conservatisme et au reaganisme. Et si les États-Unis étaient une puissance socialiste, ce seraient le NPD et les syndicats qui favoriseraient le libre-échange et les milieux d'affaires qui résisteraient !

D'ailleurs, toutes les idéologies politiques finiront par y trouver leur compte. Ainsi, disait Bernard Landry, au Québec ce sont « seulement de 250 000 à 300 000 travailleurs qu'il faudrait replacer ou recycler ». « Seulement » 10 % de la main-d'œuvre ! Quand on sait le succès avec lequel l'État planifie la formation professionnelle et recycle la main-d'œuvre, on frémit... Trois cent mille personnes déplacées, en chômage, à recycler, à assister, c'est une mine d'or pour l'industrie de l'aide sociale, c'est la relance, pour vingt ans, du lobby social-démocrate qui s'essouffle.

Les enfants de l'ordinateur

Février 1986

L a vérité et la vie, désormais, sont en couleurs, et durent quarante cinq secondes. « Ce qui n'est pas télévisable n'existe pas », dit Neil Postman, professeur d'écologie des médias [*sic*] à l'Université de New York. Rien de compliqué, et surtout pas de réponses. « Il ne faut rien présenter, au téléjournal, ajoute-t-il, qui ne soit pas instantanément intéressant. »

Ainsi, Reagan et Gorbatchev attirent quatre mille journalistes à Genève, mais seulement pour la séance de pose devant l'âtre et la promenade au jardin. Au fait, ont-ils vraiment discuté? Car l'important, et qui rassure, c'est qu'on les ait vus ensemble; déjà la bombe fait moins peur, même si on sait que c'est la seule qui n'a jamais servi, sauf le jour de son invention. On faisait hier des tables rondes sur les diverses façons de résoudre les difficultés de l'Afrique : aujourd'hui, c'est *Live Aid*. Tous les soirs, trois index boursiers clignotent au petit écran, mais comme de simples fanions, pour rassurer, sans le moindre élément signifiant. La fameuse « fenêtre sur le monde » ne montre que des fragments sans lien entre eux. Des fragments qui procurent une stimulation, une excitation. Comme une cocaïne...

Inversement, la cruauté, en devenant visible, devient inacceptable. C'est la télévision qui a inventé les dissidents et convaincu même les communistes, après cinquante ans, de l'existence du goulag. Ce ne sont ni Nelson Mandela, en prison depuis vingt ans, ni Mgr Tutu qui ont sapé l'apartheid, mais les images de la télé. Tout comme elles ont dégoûté les Américains de faire la guerre, et pas les Vietnamiens — et encore moins les Cambodgiens — qui manquaient d'écrans pour voir comment on meurt, comment on tue. Voir, c'est croire. Je frémis, donc je suis.

La télévision s'est mise admirablement au service du « robot sentant ». « Elle transforme tout discours sérieux en divertissement (*entertainment*) », écrit Postman. Le président des États-Unis n'est pas acteur par hasard. « Il est désormais interdit à une personne de trois cents livres de devenir président ! » Il est devenu difficile de faire la distinction entre l'homme public et la vedette. Politique, économie, stratégie, show-biz, tout devient un pudding d'émotions. Même la religion, qu'il s'agisse des voyages de Jean-Paul II ou des émissions des innombrables *preachers*, devient un show, sans dogme et sans rite.

Le libre-échange
et la « manifest destiny »

Décembre 1986

S e lier aux États-Unis par un accord de libre-échange, c'est une chi-rurgie plus profonde et plus lourde de conséquences qu'amender ou rapatrier la Constitution. Pourtant, le Canada s'est lancé dans cette opération de façon improvisée.

En septembre 1984, le nouveau premier ministre n'avait pas de mandat pour s'embarquer dans cette aventure. Pas même de pro-gramme. On l'a dit, il aurait fallu d'abord définir l'étendue de l'accord envisagé, en mesurer soigneusement les conséquences économiques, politiques et sociales, les effets bénéfiques ou pervers, informer les citoyens puis, dans une deuxième élection, obtenir leur assentiment ou leur avis. Et pendant ce temps, on aurait mis au point une stratégie.

Mais Brian Mulroney avait vite besoin d'une idée simple et bril-lante pour chausser les immenses bottes de Pierre Trudeau, s'affirmer comme homme d'État autant que « p'tit gars de Baie-Comeau ». Il avait beaucoup travaillé avec les Américains (ou pour eux) et croyait les connaître. Il avait aussi un compère irlandais à la Maison-Blanche qui, dès 1980, avait proposé la création d'un marché commun nord-américain avec le Canada et le Mexique. Certains intérêts canadiens poussaient d'ailleurs très fort dans le sens du libre-échange : les industries des ressources naturelles d'abord, pétrole en tête, intérêts pour la plupart de l'Ouest, château fort des forces antilibérales. Ensuite, certaines entreprises de haute technologie, où les coûts de recherche et de développement sont tels qu'il leur faut un marché planétaire. Puis une brigade idéologique qui, désespérant de jamais faire élire au Canada un gouvernement vraiment reaganien, espérait noyer dans l'océan nord-américain la vieille tradition canadienne du nationalisme et de l'État-providence.

Mais Brian connaissait mal les Américains. Dès le début des négociations, le p.-d.g. d'une grande société canadienne ayant des intérêts aux États-Unis me disait : « On ne se rend pas compte à quel point les Américains jouent dur, ils vous tueraient que ça ne les dérange pas ! » C'est la fameuse morale de Vince Lombardi, l'ancien coach de football : l'important, ce n'est pas de participer, c'est de gagner. Par tous les moyens. On croit négocier entre équipes de bureaucrates, mais les Américains mènent la bataille sur le terrain politique des rapports de force. Et pendant que les Canadiens essayaient de se convaincre que les négociations n'allaient porter que sur l'aspect économique des produits et services, tarifs et quotas, tout était déjà dans le *jack-pot* : poisson, bardeaux, bois de construction, industries culturelles.

Non seulement les livres, le cinéma, les périodiques sont sur la table, mais aussi les programmes sociaux et les choix de société, considérés comme une forme de protectionnisme. Lors des discussions sur les droits de coupe, les Américains ont eu ce mot brutal, naïf ou cynique, on ne sait trop : les droits de coupe doivent être les mêmes puisque tous ces arbres semblables poussent ensemble de chaque côté d'une frontière « qui de toute façon est une ligne imaginaire » ! Ce qui est en cause, c'est le droit (imaginaire ?) des Canadiens d'avoir d'autres lois, d'autres types d'organisation sociale que ceux qui prévalent au sud du 45e parallèle. Le droit même de légiférer indépendamment. Ce que les Américains tentent, c'est de repousser jusqu'au pôle la frontière législative. Visiblement, alors que le Canada voit dans ces liaisons dangereuses l'occasion d'élargir son marché, les Américains, eux, cherchent à compléter l'accomplissement de « la destinée manifeste ».

La grande illusion des lois sur la langue

Janvier 1987

Tout le monde il est pogné, tout le monde il est un peu Bourassa... Poignés. Entre la volonté de vivre en français sans que cela ne soit jamais plus la constante humiliation d'il y a moins d'une génération, et l'embarras de n'avoir pas su y parvenir autrement qu'en imposant le tchador à l'anglais. Aussi ne faut-il pas s'étonner de voir l'intuable problème de la langue remonter à la surface. Le PQ croyait naïvement tout régler en vissant un couvercle sur cette cocotte-pression. Il se trompait. Robert Bourassa, qui ose ouvrir le chaudron sous pression pour améliorer le potage, risque fort de s'ébouillanter. Et nous avec.

La question linguistique n'est pas réglée. Elle ne le sera probablement jamais, le statut social des langues étant l'objet d'un flux et d'un reflux constants. Et elle est la plus susceptible de précipiter le désordre social, bien plus que la Constitution, l'emploi, la privatisation. Il y a là quelque chose qui fait appel à l'instinct territorial et au sens de la survie et de la domination plutôt qu'à la raison ; des gens de qualité, tolérants en tout, se sentent déjà l'envie de traîner dans leur voiture des bombes de peinture et des briques.

On pardonne mal à Robert Bourassa et à Pierre-Marc Johnson de nous forcer à revivre ce que l'on croyait derrière soi. Tout le monde s'était habitué à un régime que personne ne trouve parfait mais dont chacun s'arrange sans se sentir persécuté. La loi 101 n'a jamais été rigidement appliquée parce qu'elle n'est pas complètement applicable. Tout en protégeant les droits bafoués de la majorité, elle teste la tolérance qu'il faut exiger des majorités et qu'elles accordent dans la mesure où se pratique aussi la discrétion qui est exigée des minorités.

On pardonne d'autant plus mal l'erreur de stratégie du gouvernement et le manque de sagesse politique de l'Opposition que cette guerre qui se ranime n'a guère à voir avec la sécurité linguistique des francophones ou des anglophones. Le péril linguistique appréhendé n'est qu'un missile antigouvernemental. Ainsi, les syndicats ne manquent pas de l'utiliser pour « ramollir » un gouvernement qui a l'oreille de l'opinion en matière de négociations. Des mandarins des régies et commissions linguistiques s'en servent, à coups de sondages bidons payés par les contribuables, pour défendre quelques centaines d'emplois bien rémunérés ainsi qu'un pouvoir politique qui ne leur revient pourtant pas. Dans une société qui a toujours craint pour sa survie, la langue, c'est la bombe atomique du contestataire.

Surtout, la loi 101 est devenue le simple lieu d'une bataille politique, le carburant dont se chauffe un Parti québécois qui ne dispose plus ni de l'indépendance ni de la social-démocratie. Et cela, de la part d'un parti qui, en dix ans de pouvoir, a négligé de mettre au service du français l'outil le plus puissant dont il eut pu disposer, le seul, au fond : l'école ! La gaffe est historique.

Non seulement la loi 101 était le signe de la montée en puissance des francophones autant que sa cause — on a confondu la foudre et le tonnerre — mais elle présente le défaut majeur d'être conçue (volontairement) comme une sorte de Constitution par défaut, là où il aurait fallu autant de lois spécifiques que de problèmes : l'affichage, l'école, la langue de travail, etc. Elle apparaît aussi inaliénable que les bijoux de famille, et la moindre correction de parcours, le moindre ajustement, comme une révolution ou une trahison.

Elle a aussi eu l'effet pervers de donner aux francophones l'illusion que tout était réglé. Elle a mobilisé les anglophones, démobilisé les francophones. C'est qu'elle retirait à la société civile, pour les confier à l'État, la défense de la langue et la responsabilité des engueulades et des protestations qui font partie, dans le cadre des lois, des rapports de force entre groupes et entre individus, qui doivent apprendre à doser l'ostracisme économique ou social.

La loi 101 confiait également à la réglementation et aux fonctionnaires une tâche qui ne peut être que celle des responsables politiques : annoncer la couleur et les règles du jeu. Ce qui est de l'ordre politique doit être réitéré avec constance, bien plus qu'inscrit dans les lois. Que l'on garde ou que l'on amende la loi 101, il faudra répéter que, dans une situation où c'est la majorité plutôt que la minorité qui est menacée dans sa survie, l'équilibre des forces n'est pas un « jeu » soumis aux lois du sport ni du marché, mais une donnée qui sera politiquement perpétuée. Il faut réaffirmer que le Québec est et restera un pays français ; que la majorité prendra les moyens pour le rester ; que le français sera la langue de travail et des corps publics ; que ce que l'on attend des immigrants, c'est de s'intégrer pacifiquement de façon à protéger cet équilibre et non pas de venir fonder des colonies ou renverser les règles du jeu. Et que le respect des droits de la majorité est la meilleure garantie de ceux de la minorité.

Cette tâche, enfin, ne peut être celle de seuls ministres sectoriels, si bien intentionnés soient-ils. La question de la langue devrait être l'affaire du premier ministre lui-même.

De tout cela, on n'a pas entendu grand-chose. Pas assez. Pas assez fort. Pas assez souvent. Or les « solutions raffinées » qu'on soupèse actuellement passent par ce courage politique. Autrement, elles seront toutes destructrices de la paix sociale et de la sécurité économique, comme le craint la Chambre de commerce de Montréal. Ainsi, on parle de « districts bilingues ». Qu'est-ce qu'un district ? Une rue, un comté, une ville ? Montréal ? La capitale ? Et permettrait-on d'en « voir » une affiche bilingue du district d'à côté ? Et pourquoi pas tailler des provinces ?... D'autres proposent l'affichage bilingue pour les entreprises qui ont moins d'un certain nombre d'employés. Belle incitation à la création d'emplois ! Beau sophisme aussi, puisque c'est le « visage français » que l'on entend protéger ! Non seulement il n'y a pas là de logique, mais ce visage français de Montréal, pour une bonne part, ne serait qu'un masque.

Il y a du bilinguisme au Québec. Il tient de la force des choses. On ne peut défendre et garder pour soi que ce que l'on accepte de défendre et de garder pour les autres.

Mais le gouvernement doit dire que si le territoire abrite des individus de diverses langues, la société, elle, ne sera pas une société bilingue. Et ajouter que, dans des situations comme celles-là, le bilinguisme est la responsabilité de la minorité.

De toutes façons, le Québec, fédéré ou indépendant, est une de ces sociétés (près de la moitié des pays de la planète sont dans ce cas) forcées de vivre dans une situation bizarre : il n'y aura jamais assez de bilinguisme pour satisfaire les nostalgiques de l'*Old Québec*, et toujours trop pour ceux qui rêvent d'un État culturel que l'Histoire n'a pas créé ou qui croient, par des articles de loi, échapper à l'ombre de la langue dominante de la planète.

Zap! t'es mort!
ou le chantage à l'orthodoxie

Février 1987

S i ce peuple ne prend pas des habitudes de tempérance, d'ici dix ans, il aura cessé d'exister... »

C'était le cardinal Léger. Il y a trente-trois ans! « Ce peuple » ne s'en fait pas trop. Il a depuis longtemps l'habitude de la menace ultime... Dans cette société catholique, on menaçait les enfants malcommodes d'un séjour dans un placard obscur, leurs parents pécheurs, de l'enfer et le peuple, s'il refusait d'obéir aux commandements de ses élites, des limbes! La menace valait pour qui votait rouge, buvait, épousait chez les protestants, se syndiquait, réclamait l'école laïque, blasphémait... Zap! t'es disparu!

Le blasphème, de nos jours, ce n'est plus l'imprécation religieuse, mais le mot anglais. On a traduit des gens en justice pour avoir affiché « L'office » de leur motel ou leurs *smoked meat* — spécialité culinaire montréalaise, dit-on dans les dépliants touristiques.

Tabarnak si, hamburger no!

Pourquoi excommunier *smoked meat* et pas spaghetti! *Club sandwich* et pas *smorgasbord*? Parce qu'il n'y a pas de cuisine anglaise? C'est de la gastronomie, du purisme ou de l'anglophobie? Si le *smoked meat* s'appelait pastrami, comme à New York, conduirait-il devant les tribunaux? Pourquoi *hamburger* et pas *osso bucco*? Peut-être parce que les classes dirigeantes intellectuelles, qui sont immunisées contre l'assimilation, c'est bien connu, comme jadis les curés contre le péché, dégustent de l'osso bucco et fréquentent les smorgasbord, au contraire du « monde ordinaire », qui s'empiffre de hamburgers...

La décision de la Cour d'appel sur la constitutionnalité des articles de la loi 101 sur la langue d'affichage n'était pas très éclairante. Mais le jugement a été l'occasion d'une belle manifestation d'émotivité, que l'on distingue de la rationalité aux exagérations qu'elle engendre.

Commentant ce jugement, un membre du Mouvement pour un Québec français nous annonçait que « les francophones n'ont aucune chance d'être encore là dans un siècle si... »

Plus pessimiste, un poète corrigeait : « Sans l'unilinguisme, le français disparaîtra d'ici quarante ans. » — « C'est une langue en train de disparaître », opinait un de ses collègues rimeurs. Un troisième entonnait : « Quel Greenpeace viendra nous rescaper dans le *no frog land* canadien ? »

Un animateur de télé, lui, parlait de génocide. Excusez du peu.

« L'affaiblissement de la langue française au Québec est irréversible », écrit un critique à propos de *Lance et compte*, « un *soap opera* de facture strictement américaine », dit-il. « Le parler québécois s'y effiloche sous l'éloquence et les coups de butoir du montage américain [*sic*]... et de la structure américaine globalisante. » Et vive le cinéma de papa !

Les nouveaux curés n'ont plus de soutane, et ont changé de dogmes, mais pas de méthodes de prédication. Si le peuple ne fait pas ce qu'on lui demande, s'il n'a pas la « pensée correcte », la bonne doctrine, la ligne juste, zap ! il ne sera plus là.

Ils sont des milliers, comme cela, à annoncer la défaite finale, la fin des temps, l'Armageddon, contre toute évidence. En dépit de la vertigineuse ascension du français et des francophones. Ils produisent plus de livres, de théâtre, de cinéma que jamais, ils contrôlent de grands médias, plus nombreux, plus riches et plus puissants ; ils occupent l'essentiel de l'espace politique ; leur situation économique, dans le privé comme dans le public, est sans comparaison avec il y a vingt-cinq ans.

D'où leur vient cette certitude que tout est fichu ? Des sondages ? Celui, par exemple, selon lequel 40 % des Québécois pensent que les francophones auront tous été assimilés dans une cinquantaine d'années ? Et si ces 40 % de Québécois n'étaient pessimistes que parce qu'ils croient ce que leur racontent leurs nouvelles élites ? Une sorte d'effet Hygrade — pardon, d'effet saucisse —, plus on en mange, plus elles sont fraîches... plus le peuple écoute Cassandre, plus il a peur, et plus il a peur, plus Cassandre s'excite.

Non seulement la stratégie du terrorisme intellectuel est contredite par la réalité observable, elle est contreproductive. Pourquoi un adolescent, au Québec aujourd'hui, travaillerait-il sérieusement le français, pourquoi investirait-il dans une langue et une culture dont tout ce qui a un peu de prestige s'ingénie à lui dire qu'elles sont inutiles et condamnées moribondes, déjà en voie de disparition?

À moins que les adolescents d'aujourd'hui, comme ceux d'hier, ne prennent pas trop au sérieux ceux qui crient au loup à tort et à travers.

Des immigrants pour s'intégrer, si.
Pour fonder des colonies, non!

Octobre 1987

L e débat autour des réfugiés a permis d'entendre des spécialistes annoncer la disparition inévitable du peuple québécois, prédiction accueillie avec une satisfaction profonde par divers lobbies idéologiques qui exècrent toutes les sociétés occidentales dites de consommation, et accueillent leur anéantissement comme une purification. Lobby entre autres de l'anti-Occident pour qui toutes les occasions et tous les prétextes sont bons pour le combattre jusqu'à l'Armageddon et avec lui, bien sûr, la démocratie parlementaire, la liberté, le capitalisme et autres cochonneries. Osez dire le contraire et vous serez des salauds, des racistes, pour tout dire des « nazis ».

Au Québec, le terrain est propice : un peuple qui a mariné trois cents ans dans le catholicisme messianique se voit facilement dans le rôle du Christ qui se sacrifie pour les larrons et les miséreux. D'ailleurs les Québécois sont tellement traumatisés de naissance par le risque d'assimilation qu'ils ne conçoivent pas qu'on puisse assimiler quelqu'un !

Une école prétend qu'on n'a pas le droit de refuser un réfugié, vrai ou faux, aux frontières. Que ce serait du racisme, ni plus ni moins. C'est du terrorisme moral. Notre pays, notre province ont accepté plus d'immigrants, en proportion, que quiconque. Les réactions de rejet ont été, comparativement, minimes : pas la moindre petite émeute.

Nous voulons des immigrants. Nous avons même un ministère pour s'en occuper. Nous devons donc avoir une politique. Mais la politique doit-elle être faite par les Canadiens, ou par les immigrants ?

L'ennemi du réfugié véritable, c'est le réfugié bidon. L'immigration est un contrat entre deux partenaires. Si l'immigrant a le droit de choisir son pays, un pays a le droit de choisir ses immigrants. D'autre part, ces derniers viennent pour s'intégrer. Disons même pour s'assimiler, un mot qui est devenu un « gros mot » pour des gens qui voient le Québec de demain comme un sorte de « mosaïque » de peuples divers qui conserveront tous leur personnalité passée sans rien en perdre. La grande Amérique anglophone a toujours pu assimiler ses nouveaux enfants par *la force des choses*. Un peuple petit, menacé lui-même, ne peut le faire que par *la force de la volonté*.

Alors, des immigrants pour s'intégrer, si. Pour fonder des colonies, non ! À ce chapitre, on a déjà beaucoup donné. Ou on croit, ou on ne croit pas à ce qu'on est et à ce qu'on a été. Ou on croit qu'on vaut quelque chose, ou on pense qu'on est de la merde. Et si on pense qu'on vaut quelque chose, on a le désir de le perpétuer.

Nous voulons des immigrants pour en faire des Québécois. Il ne faut pas que le gouvernement libéral et la ministre Mme Louise Robic se contentent d'en faire des libéraux. Un pays en forme de « mosaïque » d'espaces multiculturels, constituant une planète en réduction, cela ne nous convient pas. Au mieux, ce n'est qu'une salle d'attente pour le train de l'américanisation. Au pis, c'est la recette du Liban.

À quoi bon, en effet, s'agiter pour faire admettre le principe d'une « société distincte », et s'en péter ensuite les bretelles, si c'est pour ensuite laisser, sans intervenir, le flot du destin la noyer, la dissoudre, la rendre *ad vitam aeternam* « indistincte ».

Le français : faites queq'chose !

Mai 1988

La question de la langue, réduite à la loi 101 et à l'affichage, pourrit tout le débat politique et les attitudes. Tel qui applaudissait le commissaire quand il volait au secours du français, le traite de chien s'il se préoccupe de l'anglais et réclame son limogeage. D'autres l'appellent au secours des anglos au Québec mais le prient de se mêler de ses affaires quand il dénonce la castration du français dans l'Ouest. Même le premier ministre trébuche : par exemple, l'intervention hystérique de la classe politique québécoise contre les droits des anglophones (par l'interdiction d'afficher en anglais) s'avérera probablement un bel Exocet contre l'entente du lac Meech, à laquelle le premier ministre Robert Bourassa tient pourtant pour prendre sa place dans l'histoire.

Et il y a vingt ans que cela dure. En 1968 déjà, la question linguistique lançait les militants dans la rue, le FLQ dans la clandestinité, et coulait l'Union nationale, gouvernement et parti. Moins d'une décennie plus tard, c'est Robert Bourassa qui y laissait sa peau. Et voilà que le premier ministre met de nouveau le pied dans le piège. Il assure avoir trouvé une solution; s'il ne s'agit pas d'une autre de ces tentatives de quadrature du cercle auxquelles se livrent comités et commissions pour appliquer une loi inapplicable, la pire erreur serait d'attendre, comme il prétend aussi le faire, le jugement sans cesse retardé de la Cour suprême — qui souffre sans doute elle aussi d'une incurable migraine devant ce casse-tête.

Le débat est pourri parce que, en le limitant, comme on le fait, à l'affichage, on passe à côté de l'enjeu. Le français, ce n'est pas l'affichage : c'est beaucoup plus.

Tous les compromis proposés tournent autour du nombre d'employés ou du quartier où l'on se trouve! Commercialement, on utilise une langue pour communiquer, pas pour « s'exprimer ». Communiquer — dans le cas de Montréal — avec 75 % de clients francophones, 25 % d'anglophones et quelques millions de touristes que l'on cherche à attirer. Pourquoi permettre l'anglais aux entreprises de 4 employés, plutôt que de 10 ou de 20 ? Pourquoi dans un quartier et pas dans un autre ? Pourquoi pas d'un côté de la rue ? Ou selon l'étage, si l'on préfère ? Imposer le français aux blonds et permettre le bilinguisme aux rouquins ? Selon la religion ? À moins qu'on autorise l'anglais une journée par semaine ? Comme le poisson le vendredi...

L'application à tout autre domaine de ce genre de cataplasmes tordus en montre l'ineptie. Une langue peut être permise, ou interdite. Pas les deux. Et l'interdiction répugne. La communication, entre les citoyens, de messages qui ne contreviennent pas aux lois pénales reste, dans les démocraties, et encore jusqu'à récemment au Québec, un domaine où n'interviennent ni la police ni les bureaucrates. Maintenant qu'ils se sont donné ce pouvoir, il sera difficile de le leur faire lâcher.

Le français, c'est plus que le « visage français » d'un peuple qui ne l'est pas exclusivement. Les politiques purement défensives ne créent rien. Dans le domaine de la langue, on peut en donner comme autre exemple le projet de loi sur l'interdiction de la projection des films qui n'auront pas été doublés en français. Sur 16,6 films que regarde en moyenne chaque Québécois chaque mois, seulement 0,45 est présenté dans les salles, le reste étant diffusé à la télévision. M. Gorbatchev a du matériel de brouillage usagé à vendre... L'avenir du français passe par des actions positives. On mine non seulement le débat démocratique, mais l'avenir même du français en laissant croire que la survie de la langue tient à cette seule goupille de sécurité, que tout va partir avec l'affichage, que la Cour suprême peut faire ou défaire le futur, et que les francophones ne disposent pas des moyens de se protéger et de progresser.

Il est clair que l'interdiction de l'affichage en anglais doit servir, dans l'esprit de ses avocats, à bien plus qu'à la protection du français : certains sont incapables de voir un mot d'anglais sans un haut-le-cœur. Pour d'autres, la répression de l'anglais est plutôt une méthode pour forcer ceux qui le parlent à « prendre la 401 ». Ils ont gagné. Mais aujourd'hui, il faut bien voir que le grand nombre des anglophones qui ont choisi de demeurer au Québec — on trouvera toujours quelques irréductibles — ont aussi choisi de vivre en paix avec la majorité francophone et lui reconnaissent ses pleins droits, y compris celui de se protéger et d'assurer l'entière primauté de sa langue.

D'autre part, la disparition non seulement de l'anglais au Québec, mais aussi de tous ceux qui le parlent, de leurs institutions publiques et de leur puissance économique, ne changerait pas grand-chose à la situation du français au Québec, au Canada et en Amérique, et à la dynamique d'ensemble de la situation.

Les vrais leviers de l'avenir, ce ne sont pas deux ou trois règlements. Ce sont l'école publique — que les nationalistes contrôlent et qu'ils ont toujours contrôlée — mais dont on reconnaît pourtant qu'elle n'enseigne pas plus le français que l'anglais, dont on découvre qu'elle n'enseigne pas non plus l'arithmétique, et qui a depuis longtemps enterré l'Histoire. L'école privée au secours du français et de l'avenir collectif : il y a là un beau sujet de débat pour les intellectuels !

Plus important que l'affichage, il y a la langue de travail : dix ans après l'adoption de la Charte de la langue, les PME, où se trouvent la majorité des emplois, ne sont encore l'objet d'aucune action de francisation. Que dire des Affaires culturelles qui ne mettent au service des créateurs ou des bibliothèques, domaine privilégié de la langue, que des sommes dérisoires. L'avenir du français, enfin, est beaucoup plus menacé par la crise démographique. À côté d'une politique d'immigration dynamique, et de l'intégration de tous les niveaux venus à la majorité francophone, l'interdiction à l'affichage, c'est de la poudre de perlimpinpin.

Si l'avenir du français ne tenait qu'à la loi 101, il faudrait s'inquiéter. D'abord parce que ce qu'une majorité peut faire, une autre peut le défaire. Ensuite parce que si cette dérisoire barrière était défoncée par la Cour suprême pour cause de dérogation aux principes des deux Chartes des droits, la canadienne et la québécoise, on ne ferait que décourager un peuple auquel on a hélas ! mis dans la tête qu'il n'a pas d'autre moyen d'imposer l'usage général de sa langue et de se perpétuer culturellement. Les Québécois se comportent comme s'ils n'existaient que par la langue, alors que leur langue ne vit ici que parce qu'ils sont là, qu'ils ont déjà gagné.

Bien public = secteur public?
Rime n'est pas raison

Octobre 1988

Saint-Basile-le-Grand, près de Montréal, était connu pour son célèbre fromage odorant. Le fromage est disparu, victime de la réglementation bureaucratique. La municipalité sera désormais célèbre par un accident « écologique », gracieuseté encore de la bureaucratie. Il y en a pourtant de bien pires : l'empoisonnement du Saint-Laurent et de ses affluents par les déchets industriels (100 000 tonnes par an) et par les mauvaises pratiques agricoles, ou la dévastation de la forêt par les pluies acides. Mais le festival toxique de Saint-Basile avait le côté spectaculaire qu'exige la soif maladive des médias pour le malheur : les flammes, qui font si joli à la télé, le nombre potentiel de victimes, la perte possible de leurs foyers, ainsi que la catastrophe à quelques kilomètres près : car à Montréal, ce sont des centaines de milliers de gens qu'il aurait fallu évacuer ! Les médias ont joué la carte de la peur. On sentait constamment le regret que le désastre ne fût pas plus complet, que le Québec n'ait pas son Tchernobyl ou son Bhopal. Ils triomphaient des politiciens qui sont leurs seuls vrais concurrents : « On vous l'avait bien dit ! »

Le pis est qu'ils avaient raison. On le « leur » avait bien dit. Car la grande leçon de l'incendie du 23 août, c'est l'inefficacité réitérée des pouvoirs publics... surtout lorsqu'il s'agit d'assurer le bien commun ! L'État n'applique pas ses règlements ; le pire survenu, il n'a pas de plan d'intervention, ne sait que faire des victimes, n'a pas la capacité d'effectuer rapidement les tests nécessaires ; pour tout dire, il est même incapable d'organiser l'information. Il ne faut pas s'en étonner. Croit-on vraiment que la machine qui entasse les malades dans les couloirs des hôpitaux, qui ne distribue pas le courrier, qui affame les universités, tolère un taux d'abandon scolaire de 50 %, laisse les routes dans l'état que l'on sait, peut prendre la responsabilité des déchets toxiques ou radioactifs ?

La législation et la réglementation sont faciles. Consenties aux groupes de pression, elles servent, comme jadis les ponts, à gagner les élections. Leur application est une autre affaire.

C'est que les gouvernements, successeurs historiques de l'Église, utilisent toujours la méthode ecclésiastique : voici le bien, voilà le mal. Et ceci est la loi. Et si vous péchez, vous ferez pénitence. Par l'amende si vous êtes puissant, par la prison si vous n'êtes qu'un quidam.

Saint-Basile aura son utilité. Il sera désormais difficile à un ministère, à un gouvernement, à un parti, à une société d'État, d'escamoter le problème de l'environnement. Dans une société qui jouit de l'aisance dans tous les domaines, qui a des programmes pour tout, l'environnement reste le dernier continent à conquérir. Mais la politique des prochaines années consistera à protéger le bien public contre l'incurie d'un État débordé qui, étendant sans cesse ses responsabilités, dilue ses capacités et devient inefficace.

La gaucherie de l'État, en effet, est même souvent ridicule : alors que la majorité des propriétaires retape, rénove, restaure, cherchez un édifice mal entretenu, une école placardée... ils appartiennent aux pouvoirs publics. Les routes sont en jachère, la signalisation assassine. Préfère-t-on évoquer la saga du Stade olympique ? Ou les sociétés d'État devenues rentables... après leur privatisation ? Ou les mœurs commerciales prédatoires de la Société des alcools et la morale publicitaire de Loto-Québec : un jour, ce SERA ton tour ? (Imaginez les poursuites contre une société privée qui en dirait autant !)

Que peuvent faire un ministre, un gouvernement, quand un citoyen ou une compagnie refusent d'obéir aux lois ? Des centaines de pollueurs attendent seulement que l'État saisisse leurs déchets et les libère de leur responsabilité... Quand toute une société se traîne les pieds ? Quand le syndrome PDMC (pas-dans-ma-cour) paralyse l'action gouvernementale ? Des consommateurs qui refusent le passage de lignes électriques peuvent-ils exiger plus d'électricité ? Pour trouver des lieux d'entreposage des BPC, faudra-t-il procéder par tirage ? Vaut-il mieux les réunir en un seul lieu et créer une grosse bombe, ou les répartir en centaines de petites ? On en évalue la quantité au Québec à 5 000 tonnes : faut-il en confier un kilo à chaque citoyen ? Un individu a-t-il le droit moral de recourir aux tribunaux pour saboter une solution scientifiquement acceptable ? Accorderait-on une injonction à quelqu'un qui demande d'arrêter les avions de voler parce qu'il craint qu'ils ne lui tombent sur la tête ? Et si une injonction interdit d'utiliser un entrepôt à Senneterre, par exemple, peut-on déposer les déchets dans le champ d'à côté ? dans la cour du juge ? Faut-il laisser le gouvernement fédéral, les provinces et 1 500 municipalités entamer l'antienne des compétences constitutionnelles ?

Poser ces questions, c'est montrer que la panacée État n'en est pas une. L'État doit gouverner, il ne peut pas tout faire. C'est au nom du « bien public » qu'on défend la primauté du « secteur public ». Bien public = secteur public ? Rime n'est pas raison. Grande illusion. Le secteur public est fort souvent au service d'intérêts privés. Inversement, le secteur privé sert souvent très bien, à l'intérieur des lois, l'intérêt public. Y a-t-il aussi « essentiel » et vital que l'alimentation ? La population en a sagement éloigné l'État : heureusement, sinon nous ferions tous la queue aux comptoirs.

La protection de l'environnement et le contrôle des matières polluantes sont la responsabilité de tout le monde et non seulement des ministres et des fonctionnaires. Et pour cela, il faut intégrer les solutions dans le cours des transactions courantes de la société civile. Le coût d'acquisition de produits dont la destruction pose un problème — toxiques, nucléaires, eaux usées, pneus, etc. — devrait comporter une consigne proportionnelle à leur nocivité et au coût de leur destruction. Non seulement on disposerait des fonds nécessaires, mais on orienterait les utilisateurs vers des matériaux de substitution.

Les tenants du « tout-État » parlent d'idéalisme, de reaganisme pour ridiculiser leurs concurrents, de thatcherisme pour les insulter. Mais ce n'est pas une question d'idéologie. Seulement de pragmatisme. Il ne faut pas confondre la société civile et l'État, qui n'en est qu'un des éléments, avec ses intérêts… de pouvoir, d'argent ou d'idéologie. L'autorité publique, on a intérêt à ne pas la surcharger de tâches pour qu'elle exerce ses vraies responsabilités, la justice, la sécurité, l'équité, laissant à d'autres les travaux d'intendance.

Will James, alias le libre-échange

Novembre 1988

P ourquoi le Québec est-il pour le libre-échange, et l'Ontario contre? Affaire de partis? Non, puisque les deux gouvernements sont libéraux. Puisque même le leader de l'opposition au Québec se range avec la majorité. Parce que le Québec va en profiter, et l'Ontario y perdre? On ne voit pas pourquoi. Il faut qu'il y ait autre chose. Des raisons profondes, qui tiennent du mythe, de l'image qu'une société se fait de son destin.

On a l'impression de comprendre ces raisons en voyant le beau film de Jacques Godbout, *Alias Will James*. C'est l'histoire vraie d'un jeune Québécois d'une quinzaine d'années, Ernest Dufault, parti de son petit village de Saint-Nazaire, au début du siècle, se tailler une vie nouvelle dans l'Ouest. Il profite d'une année en prison pour apprendre à dessiner les bêtes et les hommes de sa nouvelle patrie, et se donner un nouveau nom, Will James. Il écrit vingt livres, invente des scénarios de films sur un Far West qu'il crée en quelque sorte de toutes pièces, inventant le mythe du cow-boy. Pendant près de quarante ans, tous les cow-boys de l'écran auront son nez aquilin, sa mèche désinvolte, son regard *cool*, sa démarche dégingandée. Il devient célèbre, mais meurt alcoolique dans la terreur que son usurpation soit découverte et qu'on le renvoie dans son patelin.

Non seulement *Alias Will James* est le meilleur film de Jacques Godbout, c'est aussi un des plus signifiants du cinéma québécois, parce qu'il met à jour un filon, une veine profonde de la psyché québécoise dont il n'est jamais question dans les analyses socio-politiques.

Dans ces analyses, les Will James qui partent se perdre dans l'immense Amérique sont coupables d'une sorte de trahison. Le « bon »

Québécois se doit d'œuvrer dans le pré carré. Alors que ce sont eux, les coureurs de bois, qui prolongent vraiment la tradition originelle et l'esprit de ceux qui ont débarqué les premiers sur le continent.

Au XVIIe siècle, en effet, un jeune Français ne venait pas ici recréer un morceau de France. On venait — du moins ceux qui n'avaient nulle part où retourner — « s'inventer une vie ». C'est l'expression qu'utilise dans *Will James* le jeune cow-boy moderne — car il en reste — artiste de rodéo, que Godbout utilise pour raconter son histoire. S'inventer une vie, inventer un continent. Cette immense présence du continent à prendre est au cœur même du destin des Québécois. À peine débarqués, eux qui ne seront pourtant pendant un demi-siècle qu'une poignée, ils explorent toute l'Amérique. Le naturaliste suédois Pehr Kalm rapporte que dix ans seulement après la fondation de Québec on y trouvait des fragments d'arbres pétrifiés de l'Arizona et qu'on a déjà tenté de croiser les vaches avec des bisons. Les *Relations* des Jésuites comportent déjà la description des diverses tribus amérindiennes et une division de leurs grands groupes linguistiques qui, à peu de choses près, tient encore aujourd'hui.

Les explorateurs Jolliet, Marquette, les Lemoyne arpentent et marquent le continent de la baie d'Hudson à la Nouvelle-Orléans et à la côte du Texas, et jusqu'au-delà des Grands Lacs. Mieux, ils le possèdent et l'exploitent. Montréal écoule son blé et ses melons sur New York par le Richelieu et l'Hudson. Les fermes du sud du lac Champlain et de l'Ohio sont françaises. Tout au long du Mississipi, des colons nomment déjà les futures villes américaines, s'éloignant à nouveau du pouvoir royal et ecclésiastique qui les a rattrapés à Québec. D'autres cherchent le Pacifique par les Rocheuses. On a beaucoup moqué Jean Chrétien parlant de « ses Rocheuses » : il ne fait qu'exprimer un sentiment populaire profond.

La cession du Canada par la France ne va pas empêcher les habitants de considérer le continent comme leur patrimoine. L'aventure va se continuer, au profit des compagnies de traite, vers l'Ouest et l'Arctique, ainsi que par la tentative ratée de colonisation du Manitoba et la tragique aventure des Métis. Le premier maire de Los Angeles et le fondateur de Salt Lake City seront canadiens-français. Faucher de Saint-Maurice ira jouer les révolutionnaires jusqu'au Mexique. Et cette diaspora n'est pas « exilée » ni « immigrée » : elle se considère chez elle. Le romancier Clark Blaise (ex-Blais) montre dans sa série de nouvelles *Tribal Justice* qu'on peut encore traverser le continent jusqu'à l'Amérique du Sud en couchant tous les soirs dans une famille « franco ».

Ces « Américains » que sont les Québécois ont été submergés par le nombre, contournés dans leur projet par des millions de concurrents venus eux aussi s'inventer une vie. Mais les Will James sont dans le droit fil de la tradition.

Ce sont eux qui, la réalité démographique faisant loi, ont compris que le nomadisme n'était plus possible, et qu'il fallait un territoire pour bâtir une maison, ceux qui pensent que cette maison doit être bâtie sur le modèle français. Le nationalisme est devenu réaliste et pragmatique : il a bien réduit ses ambitions… Mais le mythe demeure, et forge l'âme québécoise.

Au Canada anglais, le mythe constitutif est tout à l'opposé. Le Canada anglais s'est organisé contre le continent, contre les États-Unis, autour de l'Ontario. L'idéologie « *canadian* » et ses mandarins ne viennent pas de Kingston par hasard. Depuis Frontenac, cette ville est un verrou posé sur le Saint-Laurent d'abord par la France contre les Indiens et les Anglais, après 1760 par la Grande-Bretagne contre les Yankees, bien sûr, mais aussi contre l'ambition continentale des Canadiens français.

La vraie défaite du Canada français est bien moins celle des Plaines d'Abraham que cette muraille ontarienne posée entre lui et le reste du continent comme un passage forcé, un péage par lequel la colonie britannique se réservait l'exclusivité du commerce et des relations avec la grande nation américaine et le reste du monde. C'est peut-être là une raison, aussi profonde que méconnue, de l'hostilité latente du Québec envers le reste du Canada, une raison beaucoup plus fondamentale que les différences de langue, de religion ou d'idéologie.

Dans le Québec actuel, nationalistes, conservateurs, libéraux et toute la classe économique voient unanimement le libre-échange, au-delà de leurs différences, comme une chance inespérée de sauter par-dessus ce barrage ontarien pour vendre leurs ressources, leur énergie, leurs produits, leurs services directement aux Américains, comme jadis leurs fourrures. Le Québec se trouve là un intérêt commun avec l'Ouest. Si la classe culturelle ou intellectuelle résiste encore à l'idée, c'est qu'entre-temps elle s'est forgé un autre rêve, un continent-culture, une république des Beaux-Arts, de la langue et de l'idéologie. La fonction publique aussi, qui se voit elle-même comme la force organisatrice de la société, s'opposait déjà il y a trois cents ans à la course des bois et à la traite avec les sauvages qui sapaient son empire. Les opposants défendent un autre rêve : la création d'une république qui serait comme un miroir symétrique, un écho de la France sur ce rivage ; ou alors ils font le rêve socialiste d'une société planifiée. Mais le Québec se redécouvre tout plein de Will James.

Ce regard vers l'espace, vers l'ailleurs, c'est ce que le cinéaste Jacques Godbout a su rendre, en une analyse non verbale mais meilleure que toutes celles sur lesquelles on prétend faire reposer le débat sur le libre-échange : création d'emplois, croissance, etc. Les adversaires du libre-échange sentent bien, eux, quels sont les véritables enjeux : le changement d'espace, le vertige de liberté, le réveil d'un vieux rêve. Avec tous les dangers de ce beau risque, aucun gouvernement canadien ne fera de référendum sur le sujet, comme on l'a demandé, car on sait trop, instinctivement, que le pays se diviserait là-dessus comme jadis sur le plébiscite de la conscription.

Pour une vraie politique linguistique

Février 1989

S ans l'existence d'une forte minorité francophone, le Canada ne serait pas une fédération et il n'y aurait pas d'État et de gouvernement du Québec. Aussi, quand la Cour suprême décrète que le gouvernement de cette minorité n'a pas la latitude constitutionnelle pour en assurer la protection, c'est rêver en couleurs que de penser qu'on puisse faire l'économie du *nonobstant*. Au contraire! Toute la classe politique va s'y précipiter, pour prouver sa légitimité, voire sa raison d'être. D'ailleurs, même si le gouvernement avait suivi à la lettre les prescriptions de la Cour suprême sur l'affichage — bilinguisme avec prédominance du français —, il aurait dû recourir à cette clause dérogatoire inventée à la demande des provinces de l'Ouest — et d'abord utilisée par elles contre le français; sinon, il aurait été contesté de nouveau devant les tribunaux, par des individus ou des associations.

Québécois francophones et anglophones réclament des statuts contradictoires. Nation distincte — que les textes officiels le reconnaissent ou non, il est dépassé d'ergoter là-dessus —, les francophones rêvent, pour plusieurs, d'un pays « aussi français que l'Ontario est anglais », « nonobstant » l'existence d'une collectivité anglophone importante par le nombre, les racines et l'influence. À la suite d'expériences personnelles, mais plus souvent par les livres, les discours, les journaux, certains ont développé une anglophobie maladive : la vision ou l'audition d'un mot anglais les met en rage et ils n'accepteront rien de moins que l'élimination de tout corps étranger de leur huître protectrice. Les anglophones, qui se perçoivent non seulement comme des Québécois « historiques » mais comme membres de la majorité canadienne, parlant une ou deux langues officielles, ne veulent rien savoir de cette évolution de l'histoire. Ils en font une question de « principe ». C'est aussi leur intérêt.

Les deux positions sont inconciliables. D'autant plus que les groupes ethniques (appelons les choses par leur nom) qui s'affrontent sont tous deux effrayés. Officiellement, ils disent craindre de disparaître. Mais c'est d'autre chose qu'ils ont peur. Ni l'une ni l'autre langue, en effet, ne sont « menacées ». La majorité francophone est ici pour rester, à moins qu'elle ne veuille se faire hara-kiri : en deux cents ans, elle n'a jamais reculé ni en nombre, ni en qualité, ni en influence, ni en richesse, ni en détermination. Aussi bien s'y faire. Il faut se faire aussi à l'idée non seulement que le million d'anglophones québécois, avec leurs deux cents ans de présence — et parfois davantage, pour une proportion importante qui sont de souche française — ne va pas disparaître, mais que le libre-échange, le développement désiré du rôle international de Montréal, l'usage mondial de l'anglais comme *lingua franca* (ou espéranto, ou latin, comme on voudra) vont certainement accroître encore la présence de cette langue.

Non, ce que tous ces Québécois redoutent, anglophones comme francophones, ce n'est pas l'extinction. Les francophones craignent le retour au laisser-faire, à l'état d'il y a vingt ans, où ils devaient subir une guérilla têtue dans les magasins, les administrations, la correspondance, la vie de tous les jours. Cela, plus jamais ! Ce que refusent les anglophones, c'est de prendre leur tour dans cette situation inconfortable. L'abus que l'on fait actuellement du mot « visage » n'est pas innocent. « Visage » comme dans : « perdre la face »… ou la sauver. On sent, chez les irréductibles de chaque clan, la détermination, après deux siècles d'efforts infructueux, de « casser » l'Autre. Chacun rêve d'un autocrate qui déterminerait QUI constitue vraiment LA majorité !

Voilà donc le décor planté. Robert Bourassa avait le choix entre deux solutions inacceptables et toute une brochette de solutions médiocres. Il a retenu, bien sûr, une de ces dernières : croit-on que les premières eussent été préférables ? L'une des solutions inacceptables, c'est le bilinguisme à tout-va, le laisser-faire, retour à un passé humiliant, véritable provocation à la sécession. L'autre, l'unilinguisme pur et dur. Inacceptable pour une importante minorité de Québécois bien réels qui n'ont pas moins de droits que les autres. Mais injuste aussi pour la majorité francophone qui a droit, autant qu'à sa langue, à la vérité des faits. Le visage unilingue français d'une réalité qui ne l'est pas, c'est un masque. Un mensonge. On ne gouverne pas, on ne se gouverne pas dans le mensonge. C'est cela qui serait un « français de façade », et qui est dangereux pour la majorité francophone qu'on prétend protéger. Qu'est-ce que cet unilinguisme bidon dans le vacarme bilingue des médias : radio, télévision, journaux, publicité ? Dans un pays dont toutes les institutions nationales en sol québécois pratiquent le bilinguisme ? Une enclave ? Même pas… Une illusion.

Toute illusion est dangereuse. L'unilinguisme est le sable des autruches politiques. L'affichage unilingue escamote les problèmes, incite à croire que tout est réglé, qu'il n'y a rien d'autre à faire sur le front de l'éducation, des médias, du travail… Le système immunitaire des minorités a besoin de fréquentes doses de rappel. De plus, en réduisant le français à cette question d'affichage, en prétendant que sa survie tient à cette goupille de sécurité, on porte à négliger tous les autres moyens dont les francophones disposent pour garantir leur avenir et on se met soi-même en péril.

Les solutions médiocres, ce sont, bien sûr, les compromis. La Cour suprême en proposait un : la *prédominance* nette et marquée du français. Robert Bourassa en a choisi un autre : le français dehors, le bilinguisme dedans ; le français au soleil, le bilinguisme sous l'éclairage artificiel ! Ce n'était pas notre préférence. Ces jugements à la Salomon, où on coupe le bébé en deux sur la longueur, ou la largeur, selon le nombre d'employés ou leur sexe, le côté de la rue ou l'étage ou l'heure du jour sont irrationnels et choquent l'intelligence. Ils seront, avant longtemps, appliqués à demi ou pas du tout, comme la loi 101 d'ailleurs… Tôt ou tard, les lois qui ne sont pas conformes à la réalité sociale cessent d'être appliquées, ce qui équivaut au libéralisme total. On l'a vu avec l'avortement, où le refus de tout compromis a précipité la question dans des limbes juridiques.

Mais surtout, la solution proposée par la Cour suprême (le bilinguisme avec prédominance du français) aurait apporté davantage au français et au Québec. Le paysage linguistique aurait rendu évident, de la plus éloquente façon, que le français est *la* langue du Québec.

De plus, un premier ministre du Québec n'est pas que ministre de la langue ; il est responsable de la prospérité générale, et des relations de sa province et de la société québécoise avec ses partenaires politiques et économiques, ses voisins, ses concurrents. Il est aussi responsable en partie du sort qui sera fait et aux Québécois qui doivent momentanément vivre dans le reste du Canada, et aux francophones dont c'est la patrie. La solution proposée par la Cour suprême aurait rendu la tâche plus facile au gouvernement du Québec, on le constate déjà. Celle qu'a retenue l'Assemblée nationale donne un prétexte à tous ceux qui veulent rétrécir l'aire d'usage du français et le confiner au Québec.

On aurait pu appliquer la clause nonobstant au *statu quo* de façon temporaire — jusqu'à l'adoption de l'entente du lac Meech? —, le temps de déterminer en commission parlementaire, plutôt qu'en caucus, les modalités d'application de la « prédominance ».

Certains exigent un sommet, un « débat »… Le débat, il dure depuis trente ans, trois commissions d'enquête, quatre législations, une dizaine de tribunaux et d'organismes administratifs! Au total plus de 600 millions de dollars qui, dépensés en publicité, auraient fait bien davantage pour la promotion du français! Ou qu'on aurait pu utiliser à l'intégration des immigrants.

Les quatre dernières années (1984-1988) ont été, après vingt-cinq ans de criailleries nécessaires, sans doute, mais épuisantes, une période où on a réparé beaucoup de pots cassés, relancé l'économie, fait cesser l'agression fédérale chronique qui sévissait depuis 1968, rétabli les ponts avec le secteur privé, etc. Il serait tragique qu'encore une fois, le sujet de la langue, qui devrait réunir et renforcer la société québécoise, la déchire et la paralyse pendant que tout autour on assiste de façon différente — ou amusée — à cette danse de mort. L'intransigeance ne servira que les affidés de la « coalition circonstancielle » qui, sous la bannière linguistique, cherche qui à « casser le système », qui à imposer son « projet de société », qui à affaiblir le gouvernement en prévision des négociations du secteur public, qui à s'ouvrir une brèche vers le pouvoir… Et, en dehors des frontières, à isoler la province de Québec ou à apporter de l'eau au moulin de ceux qui cherchent à la subordonner au reste du Canada, soit dans le cadre constitutionnel, soit, comme le propose un Conrad Black, dans la pratique administrative ou le chantage fiscal. Comme aux compétitions olympiques on écarte les scores extrêmes, il faut en matière de régime linguistique retirer la parole — ou l'écoute, plutôt — à ceux qui n'admettent que les solutions extrêmes.

Chaque fois qu'on entend des voix d'origine vietnamienne, haïtienne, sud-américaine, parler le français d'ici (avec un accent d'ici mais mieux que tant de pitres et de saltimbanques qui n'interrompent leurs harangues inflammatoires sur la situation « menacée » du français que pour aller le dégrader contre cachet à la télé ou sur scène), on comprend que l'avenir passe bien ailleurs que dans l'affichage.

L'avenir, il se joue dans la vitalité des institutions culturelles et économiques. Dans le système scolaire, qui a bien besoin, et depuis longtemps, d'une nouvelle réforme. Dans le financement des universités et de la culture. Dans la puissance des médias. Dans la sélection, l'accueil et l'intégration systématique des immigrants. Au travail, où la loi 101 a exempté trop d'entreprises d'avoir le français comme langue de travail. Dans le développement économique et technologique : le départ de jeunes diplômés qui doivent chercher du travail à Toronto affaiblit le Québec bien davantage qu'un malheureux panneau bilingue.

D'autre part, après douze ans d'usage, la loi 101 a besoin d'une réforme en profondeur. Elle fait reposer sur une seule loi la promotion et le renforcement de la langue alors que *toutes* les lois doivent y concourir. Elle remet à une poignée de fonctionnaires une responsabilité qui doit être celle de chaque citoyen. Mieux vaut cinq millions de gardiens de la langue que deux douzaines de « flics » paralysés de toutes façons par les tribunaux et le réalisme politique. Les Québécois francophones doivent disposer d'un éventail de moyens législatifs beaucoup plus complet, plus efficace, et surtout plus adaptable et plus souple que cette « Charte » désuète. On s'est assez vanté naguère qu'elle avait été rédigée, enfin, par des sociologues et des psychiatres plutôt que des avocats ! Eh bien ! voilà : les tribunaux sont peuplés de juristes, pas de « logues ».

Le « visage français » du Québec ? La chirurgie plastique ne lui vaut rien. Il faut du muscle sous la peau. C'est en renforçant la langue et la culture qu'on change le visage ; pas l'inverse.

Pour trop de gens, cela n'est pas évident. René Lévesque demandait naguère aux Québécois de cesser d'avoir peur. Il n'a pas convaincu tout le monde. Trop de Québécois en parfaite santé culturelle ont l'impression que le moindre contact va les contaminer et les emporter, et sont prêts à avaler toutes sortes de potions magiques. Plus que jamais, il apparaît que les pires ennemis de la nation sont les « nationaleux ». Ou, comme le disait plus élégamment Paul Valéry : « Rien ne me paraît plus difficile que de déterminer les vrais intérêts d'une nation, qu'il ne faut pas confondre avec ses vœux. L'accomplissement de nos désirs ne nous éloigne pas toujours de notre perte. »

Le trou de beigne

Avril 1989

L es Montréalais pensaient avoir un maire. Ils en ont deux. Celui qu'ils ont élu, au suffrage universel. Un autre que Dieu-le-Père-qui-est-à-Québec leur impose, comme le soliveau ou la grue de la fable.

L'intrusion brouillonne et improvisée du ministre des Transports dans la voirie urbaine n'étonnera pas, puisqu'il est aussi ministre de l'organisation et de la caisse électorales. Mais ce ne serait pas lui que ce serait un autre. Le vacarme de janvier, en effet, a illustré de façon éclatante la cause principale du marasme dans lequel la métropole du Canada français s'enlise, tirant avec elle tout le Québec : Montréal est, d'une certaine façon, une ville en tutelle. Le conseil y a toute autorité sur la gestion et l'entretien. Mais pas sur le cadre géopolitique qui oriente le développement. Les grandes décisions qui font et défont les villes, transport en commun, voies de communication, modes et axes de développement, sont ailleurs. Québec choisit où et quand le métro sera prolongé, qui a besoin d'autoroutes et qui s'en passera. Québec décide des grandes implantations culturelles. Québec nomme le chef de police. Québec inflige à Montréal un système scolaire confessionnel conçu il y a cent vingt-cinq ans qui a toujours été une barrière à l'intégration des immigrants et à l'épanouissement du caractère français de la ville. Pour tout dire, c'est Québec qui gère le stade de base-ball.

Ottawa est responsable du port et de l'aéroport, et même d'une partie majeure du Vieux-Montréal, un site touristique inégalé où, de plan en projet, de ministre en ministre, il y a vingt ans que les rêves se dégradent.

Aussi la croissance de cette ville sans moyens et sans pouvoir se fait-elle en trou de beigne. La technologie de pointe et les générations jeunes et dynamiques s'installent en couronne en périphérie, pendant que le centre se vide, se disloque, s'appauvrit. En conséquence, Montréal s'asphyxie et manque de ressources pour les travaux les plus urgents. Il y a des années que, dans un ballet navrant d'incompétence, Montréal attend des équipements nationaux « décidés » depuis longtemps, comme une salle pour l'un des orchestres les plus réputés du monde, le Musée d'art contemporain, celui des Beaux-Arts, la Maison des sciences, etc. L'incurie d'Augias...

L'abandon, par les citoyens, des centres-villes, réservés au travail, aux affaires et au commerce, est presque universel. Mais ailleurs, les citoyens qui fuient le centre pour de bonnes raisons tout à fait évidentes n'ont pas pour autant besoin de changer de ville : ils s'installent dans les quartiers périphériques, plus agréables, plus modernes, mieux adaptés à la vie. Ici, et c'est l'autre aspect de l'inexistence politique de Montréal, ces quartiers d'habitation sont des villes rivales. Le Montréal administratif n'est qu'un quartier du Montréal réel, un fragment d'une carte découpée au profit des promoteurs. Une trentaine de principautés se disputent des privilèges, à leur propre détriment. Car qu'est-ce qu'un Outremontais, un Westmountais, un habitant d'Anjou, de Saint-Laurent ou de Verdun, sinon un Montréalais défranchisé, privé de pouvoir politique, châtré ? La cité s'exprime donc dans une cacophonie inepte.

Une conjoncture dramatique s'y ajoute : Ottawa tergiverse avant de placer quoi que ce soit à Montréal, par crainte de l'indépendance. Du côté de Québec, on hésite à doter une ville dont on se dit qu'advenant une séparation, elle risque de rester canadienne. On y perçoit Montréal comme une ville périphérique, à la frontière, une ville menacée par les Anglais, des protestants, des étrangers, plutôt que le cœur économique, culturel et social du Québec. Enfin, depuis la Révolution tranquille, la capitale utilise l'expansion de l'État québécois pour reprendre la place qui fut naguère la sienne. On y multiplie les services même quand les clientèles sont à Montréal ! La principale rivale de Montréal n'est plus Toronto. Cette bataille-là est terminée depuis longtemps. Toronto est, pour aussi loin qu'on puisse voir, la métropole du pays, sa locomotive économique. La concurrence, désormais, c'est Québec. Après le déplacement vers l'Ouest, le glissement vers l'Est.

Qui va arrêter la dérive, sinon les Montréalais eux-mêmes? Badauds au premier chef, ils n'ont jamais eu la tête très politique. La succession de bouffons et de mégalomanes qu'ils ont acceptés comme maires en témoigne. Leur incapacité de s'organiser politiquement vient de loin. Historiquement, pourtant, c'est Montréal qui défait les gouvernements du Québec. Et qui les défera. Badauds, en effet, pour huer comme pour acclamer. C'est pour cela qu'on a déménagé ailleurs la capitale.

Si les Montréalais — au sens large, qui représentent plus du tiers de la population de cette province — se donnaient une vision commune de leur cité, ils pourraient envoyer à l'Assemblée nationale un bloc d'une quarantaine de représentants pour défendre leurs intérêts. Ils auraient, sinon « la balance du pouvoir », du moins l'assurance qu'on les prendrait au sérieux. C'est peut-être là le véritable projet du trois cent cinquantième anniversaire, qui approche vertigineusement sans que rien de bien sérieux n'ait encore été préparé.

La République des juges

Septembre 1989

Invités par un organisme international de protection de la faune à un colloque sur la protection de l'*Elephas loxodonta africana*, des savants de diverses nationalités avaient présenté des communications bien différentes. Le Britannique avait intitulé sa prestation *Traité de la valeur commerciale des défenses de l'éléphant d'Afrique*; l'Allemand s'était intéressé à *L'Irrigation sanguine du système musculaire proboscidien*; le Français s'était penché sur *La Sexualité et les mœurs amoureuses de l'éléphant*. Le spécialiste canadien, lui, aurait, assure-t-on, intitulé sa recherche : *L'Éléphant, responsabilité fédérale ou provinciale?*

L'affaire Chantal Daigle, cette femme que la Cour d'appel du Québec a interdit d'avortement, à la demande de son ex-amant, illustre bien cette manie typiquement canadienne. En effet, l'étonnant, le scandaleux même, dans cette affaire, c'est que, devant une Cour suprême appelée à trancher entre les droits d'une citoyenne, ceux de la personne qui assure être le père et les droits éventuels d'un fœtus, les gouvernements fédéral et québécois ne se soient préoccupés que d'une chose : leur juridiction! Si c'est criminel, c'est fédéral — même si Ottawa a choisi de ne pas légiférer sur l'avortement, pas plus que sur l'appendicectomie ou l'amygdalectomie. Si c'est de la santé, c'est provincial. (C'était aussi la position de l'avocat du père putatif, qui ne semble pas se rendre compte qu'il détruit ainsi toute son argumentation : en effet, si c'est de la santé, n'est-ce pas une affaire personnelle entre une femme et son médecin?)

Dans un pays dont les gouvernements sont plus préoccupés de l'étendue de leurs pouvoirs que du bien-être et de la liberté des citoyens, les Chartes des droits et libertés ne sont certes pas inutiles. Mais il convient de s'interroger sur l'usage qu'on en fait. Nombre de constitutionnalistes ont signalé le danger d'une dérive de notre régime parlementaire vers des structures et des pratiques de type américain où, dans une large mesure, ce sont les tribunaux qui « font la loi ». Au Canada, depuis cinq ans, la Cour suprême fait beaucoup de loi et la tendance s'accentue : avortement, affichage, régime linguistique… Comme aux États-Unis, tout va y passer.

La responsabilité de traduire dans les lois la volonté populaire échappe de plus aux représentants du peuple.

Les discussions sur la langue, l'école, l'avortement, la morale publique, la censure se font de moins en moins au Parlement entre les élus du peuple, et de plus en plus entre trois, cinq ou neuf personnes, en privé ; le choix ne se fait plus en fonction de la masse des intérêts à concilier, mais sur des jurisprudences souvent antérieures à l'existence des problèmes à juger.

De prime abord, cette émergence d'une république des juges peut paraître désirable. Leurs Seigneuries et Leurs Honneurs ne sont-ils pas des prud'hommes choisis en fonction de leur savoir, de leur sagesse, de leur impartialité ? Ce devrait être le cas. Mais leur engagement se fait au bon vouloir du prince, sans examen par des comités de parlementaires, le plus souvent en reconnaissance d'une compétence indéniable, mais souvent aussi en remerciement de services politiques ou pour plaire à des groupes de pression. Car la sélection des juges est soumise à des règles moins strictes et à des critères moins précis que celle des fonctionnaires ! Pour ces derniers, les qualifications requises doivent être affichées, et le plus souvent la sélection est faite (du moins en théorie) par des jurys indépendants.

Les tribunaux sont, comme les sénats, des outils que les gouvernements utilisent pour perpétuer leur pouvoir bien au delà des limites de leur mandat. Ainsi une majorité décide-t-elle d'une politique, en matière de libre-échange, supposons, contre une opposition virulente, mais qui vient d'être défaite de façon non équivoque. Cette opposition active le Sénat, qu'elle domine, pour imposer des philosophies et une politique que le peuple vient de rejeter. Bien sûr, on « n'active » pas des tribunaux de la même façon ; ils ont une indépendance que n'ont pas les créatures d'un parti, et on a souvent vu des magistrats portés sur le banc en remerciement de leur fidélité politique, se draper avec délices dans le manteau de leur indépendance nouvelle et se retourner férocement contre ceux qu'ils avaient jusque-là si bien servis. Mais les péripéties de la nomination de juges à la Cour suprême par Ronald Reagan montrent bien que la constitution d'un tribunal n'est pas un exercice gratuit. Reagan avait promis de laisser derrière lui une Cour suprême « conservatrice » pour remplacer la Cour suprême libérale des années Kennedy. C'est fait. En matière d'avortement, de religion, d'égalité raciale, etc., la Cour suprême américaine perpétuera l'ère Reagan pendant vingt ans.

On aurait bien tort de s'imaginer qu'un premier ministre canadien qui, au surplus, n'a pas à affronter la course à obstacles des interrogatoires par les comités du Congrès, nomme ses juges sans vérifier quelle est leur orientation, en particulier en matière de partage des compétences entre le fédéral et les provinces !

Par un curieux effet secondaire, le changement va s'amplifier. Les élus, en effet, ont découvert qu'ils n'ont plus à s'occuper des questions controversées : les tribunaux le feront à leur place ! Nous dérivons vers un régime qui n'est pas encore une oligarchie de doges, comme jadis Venise, mais qui n'est plus tout à fait une démocratie parlementaire.

La Charte des droits doit-elle être la loi unique qui régit les diktats d'une poignée de magistrats, laissant aux élus le souci des réglementations mineures ? Ou la Charte doit-elle être simplement le guide dont le Parlement s'inspire avant de faire les lois ?

La société distincte

Décembre 1989

L es Albertains ont élu, comme candidat au Sénat, un dinosaure modèle pré-1759, pour qui le fait français est et doit rester une aberration temporaire. Stanley Waters veut abolir le bilinguisme : les Québécois n'étant restés francophones, à son avis, que par laxisme et manque de discipline — il a été général —, ils n'ont pas vraiment de culture distincte et ne peuvent que disparaître dans le grand destin anglo-saxon. Ce seraient, en somme, des immigrants comme les autres, juste un peu moins doués. Comme pour l'approuver, le premier ministre du pays a choisi le même moment pour nommer, pour la première fois depuis une génération, un chef d'État incapable même de souhaiter la bonne année dans sa langue à l'un des deux peuples fondateurs, qui représente pourtant toujours plus du quart de la population.

Comme beaucoup de ses pareils, qui ne sont pas trop sortis, Stanley Waters imagine un Québec semblable aux petits villages minoritaires de l'Ouest, une sorte de gros Saint-Boniface ou de gros Gravelbourg, avec des *natives* qui savent garder leur place et se retiennent de parler français en public, comme le raconte Gabrielle Roy. L'agréable état des choses, en somme, des *Canadian Forces* du bon vieux temps, avant qu'il ne prenne sa retraite.

Le premier ministre de Terre-Neuve, lui, sait que le Québec existe : il est forcé de le traverser où qu'il veuille aller. Mais lui aussi rejette les conséquences et les nécessités de cette agaçante survie. Et il propose, en guise de solution, une nouvelle crise de la conscription : un référendum. Le Québec votera dans un sens, le reste du pays dans l'autre. On sait déjà qui est la majorité, elle dira au Québec d'aller se faire foutre. *Our way or no way. Love it or leave it.*

D'où vient cette résurgence d'intolérance? Est-ce une réaction, comme on l'a dit, au supposé favoritisme dont jouirait le Québec, ou à la loi 178? Le prétexte est bon. Mais la vague de fond vient de plus loin. Si le nationalisme québécois a besoin de se protéger, le nationalisme « canadien », lui, paniqué par l'entente de libre-échange avec les États-Unis autant que par la marée d'immigrants venus de partout, a besoin de se définir et de se prouver. Les vrais séparatistes sont tous ces gens qui n'aiment pas, n'ont jamais aimé, peut-être, le Canada « historique », celui que deux nations ont dû bâtir ensemble, par nécessité sans doute plus que par choix, et dont la plupart des structures politiques n'existent que pour accommoder cette cohabitation historique. Ils veulent lui substituer un Canada fort et centralisé, « nationalist », qui a tout à coup des désirs de puissance. Mais un État véritablement fédéral ne peut être nationaliste. Ce Canada-là ressemble trop à celui d'avant-hier pour que les Québécois l'acceptent.

Les Québécois ne rejettent pas le Canada. Ils ont joué un rôle clé dans sa définition. Sans eux, ce pays serait tout autre. Ils sont, d'autre part, les seuls Canadiens (à l'exception des Terre Neuviens, il y a cinquante ans, et par la peau des dents) à avoir voté, et plusieurs fois plutôt qu'une depuis 1962, pour y rester. Mais, avec ou sans Meech Lake, avec ou sans Constitution, la société québécoise poursuit son petit bonhomme de chemin. Est-elle vraiment « distincte »? Sans doute, puisqu'elle se perçoit comme telle, peu importe ce qu'en pense le monde. Tout comme le Canada anglais se perçoit distinct des États-Unis, même si les Québécois font trop souvent mine de n'en rien croire.

Si les réseaux de télévision, de radio et de presse de langue française étaient plus puissants et mieux disséminés dans cet interminable pays, et si la majorité anglophone y prêtait un peu attention de temps à autre, elle constaterait peut-être que, oui, les Canadiens français chantent d'autres chansons, dansent sur d'autres airs, ont d'autres héros. Qu'à minuit, les paroles de l'hymne « national » sont différentes, pour tout dire! Ce qui n'empêche pas de partager une « toune ».

Mais les Québécois ne peuvent s'empêcher, par les temps qui courent, de constater que ce sont les plus butés, les moins compréhensifs de leurs concitoyens qui prétendent, encore une fois, définir ce qu'ils sont, décider ce qu'ils devront faire, déterminer ce qu'ils seront. Syndrome colonial. Ils ne peuvent s'empêcher de constater que, encore une fois, c'est le Manitoba, la province la plus francophobe de l'histoire du pays, celle qui a cassé jadis toute possibilité d'un Canada vraiment biculturel, qui ranime la guerre.

Ils voient qu'on pouvait rapatrier et changer la Constitution sans l'accord du Québec, mais qu'on ne peut plus la modifier en rien sans celui de provinces qui pèsent démographiquement moins lourd qu'une grande ville québécoise, et même, paraît-il, sans l'aval des femmes et des Indiens. Vaut-il la peine de négocier quand un accord signé, puis adopté par des parlements représentant 90 % de la population, peut être raturé, rebarbouillé ou déchiré sans vergogne...

Ils ont peur enfin. Ce qu'on leur propose ne leur dit rien qui vaille. Comme ce Sénat élu, doté de pouvoirs accrus, avec une représentation « égale », mais d'une curieuse égalité alors qu'il faut 4 Québécois pour peser autant que 1 Albertain, 6 pour faire 1 Manitobain et 269 pour balancer 1 Yukonais. Ils restent perplexes devant des propositions de réforme constitutionnelle qui admettent la spécificité culturelle et sociale du Québec, mais lui refusent le droit de la protéger. Contre quelles attaques le désire-t-on sans moyens de défense ? Sur quoi les nationalistes canadiens et les centralisateurs s'apprêtent-ils donc à tirer ? La Caisse de dépôt et placement, bonbonne d'oxygène de l'économie québécoise, de plus en plus présentée par la presse anglophone comme « l'arme secrète du Québec » ? Le développement de la Baie-James, auquel on oppose de partout le « respect » des Indiens (ça, au Canada, qui traite ses Indiens pis que des Noirs sud-africains) ? Ses maigres pouvoirs sur l'immigration, qui pourraient permettre au Québec, s'il s'en servait, d'éviter la noyade ? On trouve de tout cela dans les journaux... Tout comme les réflexions du premier ministre Brian Mulroney, qui se demande si les universités ne sont pas un élément trop important de l'avenir pour que le gouvernement central ne s'occupe pas de leur orientation.

Il ne manquerait plus, pour compléter la « hnatyshynisation » du pays et gaspiller le reste de confiance des Québécois envers le système fédéral, que Brian Mulroney nomme le général Waters sénateur, sous prétexte, comme on dit à Calgary, que le peuple s'est prononcé. Cela ferait bien l'affaire de Jacques Parizeau, dans le genre si-tu-ne-manges-pas-ma-soupe-tu-vois-ce-qui-va-t'arriver.

Pierre Trudeau a répété récemment qu'il n'avait « pas peur du Québec ». Personne n'a peur du Québec sauf peut-être les Waters, Carstairs, Filmon ou Wells. Personne n'a peur d'un petit peuple sans ambitions territoriales, sans moyens ni force de frappe militaire ou économique, qui ne s'occupe d'ailleurs que de sa petite affaire, sa survie et son développement, pour que sa longue patience porte enfin fruit. Non, le monde ne se divise pas entre ceux qui ont peur du Québec et ceux qui ne le craignent pas, mais entre ceux qui l'aiment et ceux qui le détestent.

Le Canada que ces derniers proposent, un Canada où les francophones sont des immigrants comme les autres, juste un peu plus lents de comprenure mais qu'on finira bien par assimiler, ce Canada-là, comme on dit chez eux, *it won't fly*.

L'Histoire et le show-business

Janvier 1990

Il y a un an, le président est-allemand Erich Honecker affirmait que le Mur était là pour cent ans. On sait ce qu'il en reste. L'autre moitié de l'Europe découvre la liberté, ou plutôt la prend : elle sait que Moscou a laissé tomber ses geôliers. En six mois, le socialisme marxiste-léniniste, qui devait arrêter l'Histoire, s'écroule. Ne survit ici ou là, en Roumanie, au Pérou, en Amérique latine, en Corée du Nord, au Cambodge, que la descendance tarée d'une idéologie pourrie.

Tout le monde est surpris. Même les chefs d'État, supposément les gens les mieux renseignés du monde, ne s'attendaient pas à cela : Bush, Mitterrand, Mme Thatcher ont mis un mois à réagir. On n'a jamais vu autant de conversions miraculeuses depuis qu'on baptisait à grands coups d'épée. Les régimes tombent. Les partis communistes se font hara-kiri dans la joie. Le KGB et la Stasi entonnent leur auto-critique, agences de relations publiques à l'appui. Les dictateurs vendent l'autogestion, les tortionnaires gèrent la liberté.

John Le Carré pense que le roman d'espionnage est mort avec le Mur. Soit. La Deuxième Guerre mondiale se termine, et si la troisième est commencée, elle aura d'autres formes que ce qu'on craignait. Les démocraties occidentales peuvent-elles éviter le genre d'erreur commise à Yalta ? Comment va-t-on reconstruire la nouvelle mappe-monde ? Où est le nouveau centre de gravité ?

On croyait que l'Europe aurait 350 millions d'habitants, elle en aura 700. La moitié d'entre eux, souvent mieux éduquée qu'à l'Ouest, parlant les mêmes langues, sait ce qui lui manque et le désire. Elle attend tout de la réunification de la maison Occident, devant la montée de l'Asie et des républiques musulmanes. Le centre de gravité du monde retourne sur l'Atlantique. Et l'Allemagne sera réunie, civilement et économiquement sinon politiquement. C'était déjà le pays le plus puissant économiquement du Marché commun : c'est soudainement un Grand, peut-être le deuxième, avec un PIB qui pèse près de deux fois celui de la France, davantage que l'Italie et l'Angleterre réunies. Son présent est hors de tout soupçon, mais son passé est aussi inquiétant que celui de l'URSS : il y a eu un chancelier de fer, un chancelier de sang, il y a un chancelier de l'argent. Et demain ?

On comprend que les nations soient hésitantes, qu'elles éprouvent le besoin d'agir avec prudence. Les pays de l'Est le savent, Hongrie, Pologne, Yougoslavie, qui frappent à la porte du Marché commun, pour éviter la resatellisation par l'Allemagne.

Le vrai danger pour l'Occident, c'est son goût du showbiz. Il y a la tentation de regarder tout cela à l'écran, comme un détournement de plus, comme un autre séisme. McLuhan disait que toute technologie dépassée devient le contenu d'une autre technologie, c'est-à-dire un art. Cela est vrai aussi des régimes politiques. Nos médias consomment actuellement des doses massives de révolution, sans vraiment de réflexion. On le voit dans l'illustration ci-dessus : le capitalisme, qui récupère tout (heureusement), fait déjà de la pitoyable technologie soviétique, des montres de soldat à 30 kopecks, le bijou *in* de l'heure...

Mais en ce Nouvel An, ne chicanons pas. Jamais depuis 1945 il n'y a eu plus d'heureux dans le camp de la liberté.

La civilisation du déchet

Avril 1990

D ans une scène de *Sex, Lies and Videotape*, prix du Festival de
Cannes, une dame confesse au psychiatre son obsession : pas le
sexe, pas l'argent... les déchets ! Tous les sondages le disent : l'environnement est la première préoccupation des citoyens. Le sentiment
religieux a horreur du vide et les récepteurs psychologiques laissés
libres par les cultes évaporés ont tout naturellement accueilli la nouvelle foi écologique, avec ses missionnaires, ses saints et ses processions, ses péchés et son inquisition. Et pour les incroyants, son enfer
en forme d'effet de serre.

Les fidèles ont bien de la difficulté à concilier dogme, vertu et vie
quotidienne. Ils vénèrent le pur, le naturel, le biologique, de préférence sans cholestérol, abhorrent l'œuf, symbole de la prolifération
honnie, pratiquent le blé entier et le son, remettent même à la mode
la thérapie du carême. Parce qu'ils tiennent le hamburger pour destructeur de forêts amazoniennes, ils communient au thon, mais pour
apprendre qu'ils se rendent ainsi responsables du massacre de millions
de dauphins. Ils renoncent au papier hygiénique coloré, qui pollue
les cours d'eau, mais pour découvrir que la moindre boutique évacue
des produits chimiques dangereux dans les égouts. Ils pleurent sur le
sort des bêtes, achètent des fourrures synthétiques, mais encouragent
ainsi l'industrie chimique. Ils découvrent que les détergents sans
phosphates tuent plus de poissons que les autres ! On comprendra
qu'ils aient le tournis !

Ils n'achètent pas d'aérosols, par respect pour l'ozone, sans savoir
qu'en ce pays on n'y met plus de chlorofluorocarbones. Et oublient
le frigo tout neuf qui, dans vingt ou quarante ans, en produira bien
davantage. Ils recueillent pieusement papier journal et vieilles bou-

teilles, sans savoir qu'on doit entreposer à grands frais ces produits pour lesquels il n'y a guère de demande. Ils enterrent leurs déchets comme des morts alors qu'il vaudrait mieux les laisser se « biodégrader » à l'air libre. Ils renoncent aux engrais et aux pesticides mais réclament en même temps des surplus pour les enfants d'Éthiopie, puisque le bébé phoque est désormais passé de mode. Ils s'opposent au nucléaire et chantent l'électricité propre, propre, propre, jusqu'à ce qu'on leur démontre que les barrages changent le climat et angoissent les aborigènes. Leur foi vacille à nouveau quand ils découvrent que l'information vient d'experts qui ont à vendre des centrales nucléaires. Le nouveau croyant est tout disposé à la sainteté écologique ; s'il pèche ce n'est que parce qu'il faut bien vivre. Et parce qu'il y a trop de désinformation dans cette cacophonie pseudo-scientifique.

Le problème, bien sûr, est réel. L'accroissement explosif de la population fait désormais de la gestion de l'environnement la principale activité humaine. Et nous accédons en même temps à la conscience du problème, ce qui est déjà l'essentiel de sa solution.

Mais comme pour la faim, la maladie ou la démocratie, la victoire de l'environnement viendra du savoir. Par exemple, la meilleure façon d'éliminer les millions d'annuaires téléphoniques, c'est l'informatique et le Minitel, pas le retour au monde d'avant le téléphone.

L'environnement est un problème scientifique bien plus que moral. Il nous faut plus d'archéologues des dépotoirs et moins d'hystérie. C'est un problème politique, puisqu'il faut d'abord établir les priorités pour ne pas gaspiller les efforts. C'est enfin un problème économique.

Or, il est curieux que tant de gens tendent à adopter, pour l'environnement, les méthodes inefficaces dont les peuples ruinés par le marxisme cherchent à se débarrasser : idéologie et morale, planification centralisée, bénévolat, crainte de la punition, etc. Il faut apprendre à considérer notre principale production, celle du déchet, comme une source de matière première, l'insérer dans l'économie, stimuler la demande, agir sur les leviers économiques. Pour que le recyclage fonctionne, les déchets doivent trouver des utilisateurs. On économisera l'énergie, on plantera des arbres, quand on y trouvera son intérêt. Qu'on inclue le coût réel du gaspillage et de la pollution dans les prix ; qu'on récompense le consommateur de déchets. Il fera un choix rationnel.

Les chinoiseries du français

Mai 1990

Nous mangions, un samedi soir de février, dans un restaurant chinois des Laurentides : parmi nous, quelques enseignants, un universitaire et un membre de la direction d'un cégep. Qui nous racontait, entre autres, qu'il était incapable dans son établissement de faire régner le français hors des salles de cours. Et même à l'intérieur.

Pendant le repas, le propriétaire-chef, un Chinois, vint nous expliquer en excellent français, avec l'accent local, comment il avait, depuis vingt ans, monté sa petite affaire en Nouvelle-France et nous présenta sa brigade : Martin, Stéphane, Suzanne, tous aussi chinois que lui malgré leurs prénoms et aussi francophones.

Nous leur avions dit que l'école, que la langue de travail, que le pays, que l'avenir serait français. Ils nous ont fait confiance. Or nombre de nos écoles et collèges commencent à ressembler à ceux des minorités hors Québec. La grammaire et l'histoire en français, et l'anglicisation rapide dans les corridors.

Cela mesure très précisément l'échec de la loi 101 : on ne fait pas de politique linguistique avec de la répression, mais avec de l'incitation ; la langue n'est pas l'affaire d'une loi mais de toutes les lois ; on ne peut « nationaliser » le problème et en charger le gouvernement. Il relève de tous.

Il y a peu de chance que les directives de la Commission des écoles catholiques de Montréal pour interdire l'usage de l'anglais dans ses écoles « françaises » soient efficaces. Les méthodes répressives vont échouer. Elles ont échoué partout. Vous voulez promouvoir une langue ? Réprimez-la. La langue, c'est l'identité, la personnalité, la pensée même. C'est aussi le moyen de résistance le plus facile : il suffit d'ouvrir la bouche, nul besoin de créativité.

Ce qui menace et étouffe le français ici, c'est le dynamisme de l'anglais, son attrait économique et, on l'oublie trop souvent, son attrait culturel. C'est l'évidence incessante qu'il est le latin, l'espéranto des temps modernes. Ce qui peut étayer le français ne peut être que son dynamisme interne et l'intérêt pratique. L'intérêt, le « merveilleux intérêt, qui mène le monde », disait Shakespeare.

Car si on ne peut réprimer, on ne peut pas non plus laisser faire. À Montréal aujourd'hui, en province demain, les immigrants sont le grand volant démographique. Il est essentiel qu'ils parlent français. Et qu'on leur dise qu'on attend d'eux, en échange de la sécurité, qu'ils s'intègrent d'abord, s'assimilent ensuite et deviennent des Québécois francophones. En français, *melting pot* se dit « creuset ».

D'autre part, les francophones ont droit à des écoles françaises non seulement de nom, mais d'esprit. C'est ce qu'ils réclament ailleurs, à plus forte raison ici où ils sont majoritaires.

Les solutions sont politiques. L'État québécois doit d'abord sélectionner les immigrants. Il a ensuite le devoir de les informer de la politique du pays en matière d'intégration, et de les prendre en charge.

Il doit surtout renforcer le français langue de travail. En faire celle du travail dans les PME. La partie utile de la loi 101, c'est celle-là, et non pas le maquillage par l'affichage, qui ne trompe que les francophones. Il doit enfin, après une réforme scolaire qui a fait ce qu'elle a pu, mais qui a hélas! été suivie de vingt-cinq ans d'autosatisfaction sommeillante, comprendre que l'avenir c'est l'école et qu'il est plus important d'investir là que dans les kilowatts. Il faut d'abord améliorer la langue qu'on enseigne à l'école. Pourquoi des gens qui n'ont pas ici d'attache sentimentale viendraient-ils apprendre un patois local, une sorte d'« afrikaans » qui ne débouche sur rien? Il faut vite négocier la mobilisation et la motivation des enseignants et des syndicats qu'on n'entend guère que monnayer leur implication.

Ce sont des choses que les politiciens savent lorsqu'ils quittent Montréal fraîchement élus, mais qu'ils oublient à Québec, une ville où ils se laissent avaler par les préoccupations de mandarins qui devraient « arriver en ville » sans attendre que le problème se pose chez eux, et qui semblent avoir déjà accepté de s'amputer de Montréal, tels des renards piégés.

Il faut enfin réformer de toute urgence les structures scolaires de Montréal, un édifice arriéré qui met l'école au service de factions religieuses et décourage les citoyens de s'occuper de leurs affaires. C'est beaucoup à cause d'elles que Montréal se vide et s'étiole.

L'écologie, c'est le civisme

Juin 1990

L'écologie est un civisme, et le civisme commence sur le perron.
Bien sûr, les Montréalais — et les autres — ne peuvent rien contre
les trottoirs ravinés, les rues crevées, les entrées de métro dépotoirs,
les lampadaires tordus, les vitres trouées des immeubles publics, les
clôtures écrasées, les arbres brisés, les affiches en lambeaux qui font
de Montréal, chaque année davantage, une ville qui ne se souvient
plus de sa splendeur passée et semble s'acharner à prouver que ce qui
appartient à tout le monde n'est l'affaire de personne et que ce qui
est public est médiocre.

Incivisme ? Celui des autorités est sûrement nourri par celui des
citoyens, mais en retour il en devient la cause ou le prétexte.

L'environnement — les sondages le prétendent — est « la première
préoccupation ». Mais hélas ! n'est-ce pas un spectacle plus qu'un souci
réel ? On s'intéresse aux grandes catastrophes — l'Amazonie qui
disparaît (ce qui n'est pas sûr), le réchauffement du climat (remis en
question), la couche d'ozone qui crève, la calotte polaire qui fond et
qui recouvrira les villes de plusieurs mètres d'eau… Tous ces drames
font les belles images des émissions de télé et on en parle comme jadis
de l'An mil, des Huns ou des autres cavaliers de l'Apocalypse. Spectaculaire, mais abstrait. Pour enrôler le citoyen, peut-être faut-il commencer tout près, avec du concret. Le véritable environnement, c'est
celui où on vit, où on baigne : la qualité de la ville, des maisons, des
écoles, des plages… Un environnement dont *NOUS* sommes l'espèce
menacée, pas un introuvable tamanoir ou un micro-lichen.

Or, les déficits des gouvernements sont écrasants, les taux d'intérêt vertigineux, les taxes à la limite. L'environnement devient aussi
une question de budget, donc de choix : il va de soi, bien sûr,

qu'on ne doit désormais construire que des usines propres, qu'il urge de réformer les anciennes, qu'il faut utiliser les ressources avec circonspection. Mais l'écologie humaine n'appelle-t-elle pas d'abord à mieux gérer notre habitat, particulièrement nos villes? La qualité de ce milieu où vivent les neuf dixièmes de la population est elle-même une éducation à l'environnement. Autrement, l'idéologie ne sera qu'un luxe de riches ou un hobby de *happy few*, c'est-à-dire un échec. Il n'est pas de société pauvre ou de société mal éduquée qui n'ait fait un désastre de son environnement.

Comment ne voit-on pas que nos villes sont moins menacées par la montée des océans que par celle du chômage, des taudis, de la violence, de la drogue ou de la simple solitude?

L'homme se plaçait jadis au centre de l'univers et, cherchant constamment à dominer la Nature, s'en excluait. Cet « anthropocentrisme » a été dénoncé par la science. Mais il n'est pas sûr que la biologie, la botanique, l'écologie aient replacé l'homme dans la Nature, loin de là. En reconnaissant parfois aux humains moins de droits qu'au castor, à l'épinoche ou aux bactéries, elles ont encore une fois mis l'animal humain à côté de la Nature, c'est-à-dire en dehors.

Après Meech, l'histoire redémarre

Août 1990

Les métaphores conjugales et sexuelles sur la Confédération, des lits « jumeaux » aux « chambres à part » et maintenant aux « résidences individuelles », m'ont toujours fait rire. Le problème du couple canadien n'est pas un problème de décoration, d'aménagement ou d'architecture ; il s'avère simplement que les chers époux sont du même sexe !

Sous Jean Lesage, le Québec et le Canada avaient entamé une réforme constitutionnelle profonde : *opting-out,* programmes et juridictions spécifiques. La société québécoise, en avance sur son gouvernement, le poussait à se donner les outils d'une politique sociale et économique moderne. En 1965, Paul Gérin-Lajoie, président du Comité constitutionnel de l'Assemblée nationale, fit une série d'interventions majeures :

« On parle actuellement de rapatriement... Il est évident que ce ne saurait en aucune façon être un aboutissement en soi, écrivait-il. Ce rapatriement constitue un point de départ, la première étape d'un processus de modernisation. » Et encore : « Le dynamisme d'un Québec nouveau à la recherche de la plus grande mesure possible d'autodétermination obligera le Canada à se repenser et à s'inventer de nouvelles structures politiques, s'il veut conserver un avenir. »

« *The essential element of Canadian unity is the concept of alliance or partnership between two societies...* Deux sociétés distinctes qu'unissent un contrat centenaire et des institutions politiques communes, mais que séparent leurs langues, leurs cultures et leurs objectifs nationaux. » (...)

« *The reform must be much more comprehensive than increasing the number of French Canadians names in the civil service but a completely renewed approach towards our basic Canadian dualism.* »

« *The other provinces of the Confederation have the floor... it is for them to make their choice.* »

Le Canada anglais n'eut pas à répondre. Le club de *Cité libre,* qui croyait avoir provoqué des changements qu'il n'avait que commentés, se crut dépassé : une révolution se faisait, mais par d'autres. Pierre Trudeau et ses fidèles constituèrent donc un gouvernement québécois en exil et répondirent à la place de tout le monde.

La « société distincte » — l'expression date de 1956 — s'affirmait, il fallait l'avorter. Le « Québécois », être contre nature, ne pouvait avoir d'existence que Canadien. Le trudeauisme appliquait aux Canadiens français ce que la Révolution française, en les émancipant, proposait pour les Juifs : « Tout leur accorder comme individus, tout leur refuser comme nation. » Le Québec était une province comme les autres et les francophones une minorité comme les autres. En 1965, la Révolution tranquille se bloquait pour vingt cinq ans.

Le *Journal* (62-63) d'André Laurendeau montre qu'en vingt-cinq ans la donne n'a pas changé. Mêmes revendications, même vocabulaire. Et même résistance du Canada anglais. *What does Quebec want ?* Au célèbre « désormais » de Paul Sauvé après vingt-cinq années de carcan duplessiste, répond le « désormais » de Robert Bourassa. L'histoire reprend son cours après vingt-cinq ans de blocage trudeauiste.

Un autre rapprochement : 1791-1991. Le Parlement de Québec, un des plus anciens du monde avec ceux de Londres, Reykjavik et Washington, a deux cents ans. Les Québécois n'ont pas à réunir une Constituante ; ils sont déjà constitués. Robert Bourassa réaffirme, avec la souveraineté du Parlement, celle d'une nation, selon la définition d'Ernest Renan : « Le consentement, le désir clairement exprimé de continuer la vie commune, *le plébiscite de tous les jours...* »

Comme le demandent les Claude Béland et Bernard Lamarre, il doit agir vite. Plus vite encore que le souhaite Jacques Parizeau. Pour éviter l'incertitude. Et pendant qu'il y a à Ottawa et à Toronto des gouvernements ouverts au changement. Sans attendre la multiplication des petits Wells et des petits Chrétien.

Le premier ministre du Québec a un défi redoutable. Gérer une évolution pour laquelle il n'a jamais montré de ferveur, avec un instrument, le Parti libéral, plutôt taillé pour le contraire ! Mais l'histoire est vraiment au rendez-vous. À Robert Bourassa d'agir. De montrer ce qu'il a dans le ventre. Et de se réserver une place dans l'histoire, plutôt qu'un clou pour une photo de plus dans un couloir de l'Assemblée nationale.

Ils sont 35 000, faut se parler...

Septembre 1990

À la première conférence de presse de la Société d'énergie de la Baie-James, j'avais demandé à son nouveau président, M. Pierre Nadeau, s'il n'était pas prudent de tenir compte des revendications des Cris et de reconnaître que si le Québec fournissait le *know-how* et le financement, eux fournissaient la ressource première, et de leur assurer une participation aux profits. Monsieur le président avait considéré la question d'un air apitoyé comme si elle lui venait d'un débile — ou d'un Indien — et avait terminé abruptement la brève conférence en expliquant qu'il était temps d'aller bouffer...

Vingt ans et 350 millions de dollars plus tard, et devant la détermination des Indiens de bloquer tout développement économique dans le Nord pour obtenir des compensations de magnitude saoudienne, certains regrettent peut-être de ne pas avoir pris les mesures nécessaires pour les amener, par la participation, à comprendre que le développement économique n'est pas qu'affaire de Blancs.

Nous voilà donc en plein psychodrame, dont personne ne semble savoir comment sortir sans dégâts. Les Mohawks se sont moqués du gouvernement du Québec — comme des tribunaux — parce que ce dernier n'a pas de politique indienne et n'a pas eu non plus de stratégie. Les Mohawks, à ne pas confondre avec le reste des Indiens, ont été jusqu'à réclamer la libre circulation des vivres alors qu'ils empêchaient celle des personnes sur le pont Mercier ! Grossièreté intellectuelle ou cynisme ? Le comble du ridicule a été atteint avec la demande d'intervention des Casques bleus sur la route d'Oka ! Ridicule, mais prévisible. Dans la taïga la plus éloignée, on a des soucoupes et la télé, et ce n'est pas par hasard que les turbans des Guerriers rappellent le Liban ou l'Iran.

Le gouvernement du Québec s'est défait sur l'obstacle. Il aurait fallu proposer la négociation d'abord, en restant de granit sur le fond. Après l'échec d'un coup de force minable, on a au contraire reculé point par point.

On ne négocie pas, en effet, avec des hommes masqués et en armes. Sinon pour gagner du temps. Et c'était déjà une reddition que d'aller palabrer sur la barricade. On remet d'abord les armes, et celles qui sont illégales doivent être saisies. N'est-il pas bizarre que l'opinion réclame l'interdiction des armes de combat au lendemain du crime d'un fou qui, lui non plus, ne reconnaissait pas les lois, mais les accepte si facilement chez ces Rambos? Les citoyens n'ont pas à vivre sous la menace des mitraillettes. Manifestation, oui; occupation, non. Les Guerriers ne parlent pas politique mais violence. Leur cas est une affaire de police.

Cette clique criminelle, qui exerce une sorte de coup d'État permanent dans les réserves et tente de soustraire une partie du pays à l'empire des lois, ne peut à la longue que rebuter une opinion publique qui, au Québec, étrangement, est plus sympathique aux indigènes qu'ailleurs. On peut se demander pourquoi. Héritage historique? « Sanglot de l'homme blanc »? Réflexe de minoritaires traumatisés en 1970 par les mesures de guerre, incapables de considérer le pouvoir autrement que comme un ennemi et un oppresseur? Tolérance? Au nom de la tolérance, on a enduré trop de comportements et d'actions inacceptables.

Ceux qui accusent de racisme quiconque n'accepte pas sans discussion les positions indiennes seront surpris qu'on leur dise que les racistes, ce sont eux, qui acceptent des autochtones une conduite qu'ils rejettent sans doute chez d'autres. Imaginez que divers groupes ethniques, religieux, politiques ou syndicaux se mettent ainsi en marge et importent des mafieux, des fiers-à-bras ou des terroristes. Bénéficieront-ils de la même « tolérance »? Comme si les Indiens étaient des enfants, incapables de comprendre qu'on ne peut à la fois se réclamer des lois et les rejeter quand elles nous déplaisent. Comme si, aussi, l'avenir indien ne pouvait être à l'image que du passé.

Car la sympathie de l'opinion ne va pas à un Indien qui prendra vraiment sa place dans la société moderne, à tous les niveaux; elle est réservée à un Indien mythique, projection nostalgique d'un imaginaire âge d'or. Tant que ce « bon sauvage » existe, croit-on, le retour à l'état de nature reste possible. D'où l'idée de lui réserver de vastes territoires, des zoos humains, où simuler le passé et perpétuer cet âge d'or.

C'est une aimable fantaisie. La population amérindienne du Canada a été limitée pendant des millénaires par la maigreur des ressources et par la famine. Et elle a aujourd'hui de populeuses « tribus » concurrentes, alors même qu'elle est en explosion démographique. L'avenir de cette trentaine de sociétés et de langues en péril ne réside pas dans une sorte d'apartheid boréal.

L'usage du territoire ne va pas être décidé par les armes. D'ailleurs, les Indiens pourraient-ils gagner au jeu de la guerre ? L'opinion acceptera-t-elle que d'immenses zones du pays soient interdites à 97 % de la population ? Est-elle prête à payer des milliards de dollars de rançon ruineuses, payées par les contribuables et les entreprises ? Ponts, routes, lignes électriques, pipelines vont-ils être sabotés chaque fois qu'un groupe a une revendication ou chaque fois qu'un Indien refuse l'expropriation, « ne reconnaissant pas la loi canadienne » — se définissant ainsi, à la lettre, hors la loi ? Peu importe qu'on reconnaisse la loi, puisque la loi, elle, connaît tout le monde, y compris les étrangers. Peut-on, sous un prétexte culturel, religieux ou idéologique, se déclarer hors la loi ? Obtenir l'amnistie d'actes criminels ? Les Indiens ont sans doute retenu comment on a amnistié naguère les syndicalistes saboteurs des chantiers de la Baie-James !

Les rodomontades des chefs (selon qui les 35 000 Indiens du Québec ne vont laisser aux 6 millions de membres de la tribu blanche que Québec et Montréal) sont-ils des « sparages » de matamores irresponsables ou expression d'une haine irréconciliable qui interdit toute négociation ? Cela doit bien traduire quelque vision : apartheid volontaire ? réjectionnisme, comme dans les ghettos noirs américains ?

Les Québécois souhaitent un nouveau Canada ; les Indiens aussi, qui exigent même des changements plus radicaux encore. Au lieu de renvoyer la patate chaude à Ottawa, Québec doit au contraire revendiquer la plus grande responsabilité à l'égard des Indiens. Son gouvernement va devoir montrer autant d'imagination que de fermeté. La meilleure façon de tuer un homme, écrivait Félix Leclerc, c'est de le payer pour ne rien faire. À l'avenir, il faut associer les autochtones par négociation aux grands projets de développement, garantir de la sous-traitance aux organismes et aux entreprises qu'ils contrôlent. Leur confier un rôle préférentiel dans la gestion des ressources naturelles. Financer des organismes d'éducation ou de santé qu'ils dirigeront eux-mêmes. Leur ouvrir les portes de la fonction publique. C'est ainsi que l'on assurera à cette minorité de plus en plus désespérée les ressources pour protéger son identité culturelle et sortir de décennies de dénuement.

La Commission parlementaire sur l'avenir constitutionnel du Québec (future commission Bélanger-Campeau) devra compter des représentants des tribus amérindiennes, et tenir compte d'elles et de leur avenir dans ses travaux. Et une commission d'enquête ne serait pas superflue. Le Québec est déjà en avance sur le reste de l'Amérique du Nord en ce domaine. Inepte dans l'exécution, souvent, surtout quand la Sûreté s'en mêle, il n'en a pas moins déjà signé plusieurs ententes majeures avec ses aborigènes.

Par contre, il doit être clair dès le départ qu'il ne peut être question de céder de souveraineté sur le territoire québécois. La souveraineté ne peut être exercée que par la nation entière. Certains milieux anglophones attisent les illusions des Indiens en parlant des frontières de 1912, de 1867... Pourquoi pas de 1763 ? On ne pose pourtant pas de question sur l'intangibilité de la ligne Oder-Neisse !

« L'été indien » de 1990 a soulevé surtout beaucoup de questions. Pour l'instant deux choses seulement sont certaines. Les Indiens ne vont pas disparaître. Et les Blancs ne vont pas repartir.

La crise d'Oka, une crise de pouvoir

Octobre 1990

N e nous étonnons pas que les derniers sondages montrent que les « *électo*-encéphalogrammes » de Brian Mulroney et, dans une moindre mesure, de Robert Bourassa, sont à plat. La nature politique a horreur du vide. C'est l'inertie du pouvoir, à Ottawa et à Québec, qui a poussé les populations de Châteauguay et de LaSalle à prendre leurs responsabilités. Avec une brutalité et un manque de vision déplorables, sans doute, mais ce n'est pas le métier des amateurs de gouverner.

Au départ, l'opinion publique n'était pas hostile au point de vue des Indiens, loin de là, mais elle a été détournée par deux choses. D'abord par les atermoiements des gouvernements qui, plus d'un mois après le début des troubles, n'avaient toujours ni stratégie ni politique. Mais surtout par l'absence totale d'information, qui a été la principale cause d'inquiétude et d'angoisse.

Les factieux d'Oka et de Kahnawake avaient non seulement des objectifs — un officiel pour leurs tribus et un secret pour leur pègre —, mais ils ont montré une connaissance des médias digne des meilleurs spécialistes, à croire qu'ils ont bénéficié des conseils de quelques officines professionnelles. Une maîtrise à faire honte aux responsables des réseaux de télévision, qui ont été manipulés comme des marionnettes.

Quand on ne tient pas les citoyens au courant, en pleine crise, on laisse la place à la *rumeur*. Et la rumeur est le pire des ennemis et des comploteurs.

Quand la crise allait-elle se terminer ? Quelle était la vraie position du gouvernement ? Avait-on vraiment pillé les maisons des expulsés ? Le pont Mercier avait-il vraiment été saboté ? Ouvrirait-il de nouveau ? Les « Guerriers » sont-ils vraiment alliés à la mafia d'Atlantic City ? N'y avait-il pas un conflit évident entre Ottawa et Québec ? Sinon que faisait l'armée en vacances dans les champs, et pourquoi Sam Elkas parlait-il de créer une « garde nationale » ? Les services secrets canadiens ont-ils été impliqués dans cette déstabilisation qui survenait dans l'écho des déclarations souverainistes de Bourassa ?

Même l'attitude de Brian Mulroney et de sa cinquantaine de députés québécois muets est incompréhensible. N'est-ce pas du Canada que les Iroquois veulent se séparer ? L'armée n'est-elle pas encore fédérale ?

Le gouvernement traite le public comme s'il était trop débile pour supporter la vérité. Ni la sécurité nationale ni la sécurité publique n'auraient été mises en jeu par le dévoilement de ce qui constitue la politique du gouvernement à l'égard des revendications des Indiens, s'il en a une, de ce qu'il était prêt à négocier et dans quelles conditions. Ce n'est pas aux États-Unis que la presse et les élus accepteraient pareille censure.

On ne vit plus en vase clos. Le public n'accepte pas d'en savoir plus sur l'Irak, le Koweit et la Roumanie que sur Châteauguay ou sur les *Oka follies*.

L'État, c'est mohawk

Octobre 1990

« Quand les journalistes devenaient trop objectifs, les Warriors les jetaient dehors ! »

Presque tout le monde est désormais d'accord : les médias ont joué le jeu des insurgés. Bien avant cette déclaration brutale d'un officier du 22ᵉ, plusieurs observateurs avaient qualifié les médias de « haut-parleurs des Warriors », et noté la frappante disparition du « oui, mais... » par lequel les intervieweurs amorcent habituellement la plupart de leurs questions aux politiciens, aux gens d'affaires ou aux leaders syndicaux. Bien des téléspectateurs se demandent maintenant si les journalistes n'ont pas reniflé autre chose que le pétun que faisaient brûler les insurgés devant leurs caméras. La vraie question : la faute en est-elle aux reporters ou à la nature même des médias ?

Le résultat a été catastrophique. La « crise » n'était pas sur les barricades mais dans le séisme social. Peu de gens s'en sont aperçus dès le début. Sûrement pas les gouvernements, encore moins les médias. Les vraies armes n'étaient pas les AK-47 ou les Uzis, mais les caméras : fusils et mitrailleuses n'ont été que des appâts pour attirer les journalistes, comme les camions rouges des pompiers attirent les enfants. Les médias n'ont pu couvrir la crise véritable, c'est-à-dire les mensonges, les manœuvres, les demi-vérités, les tractations, la démission des gouvernements, pas plus que leurs répercussions sociales et politiques, parce qu'il s'agit de choses abstraites, avec lesquelles on ne fait pas de belles images, et qu'on ne perçoit pas tout de suite.

Un incendie fait cent morts, un tremblement de terre ensevelit un village, mais ils ne détruisent pas la cohésion sociale et la solidarité. Généralement, ils l'augmentent.

Au contraire, l'été 90 a sapé le contrat social, dissous la confiance envers la police, ruiné la crédibilité des gouvernements, fait naître l'insécurité et l'angoisse.

En un mot, les Mohawks ont gagné la guerre. Il était pourtant évident qu'ils n'allaient surtout pas négocier. « Coutumes ancestrales », volte-face incessantes quant au nombre et à l'identité des négociateurs, contradictions... tous les prétextes étaient bons. À la télévision, gagne qui a l'écran et le micro : ils voulaient les garder. Ils perdaient la guerre le jour où elle se serait terminée, et chaque jour qu'elle continuait leur était une victoire.

La communauté amérindienne a réussi à nous transférer le mal dont elle souffrait. Ce peuple battu, divisé, en décomposition, se retrouve fort et uni. Les principes, les lois, les coutumes des Blancs étaient soudain remplacés par ceux de l'Autre. Notre société n'appliquait plus à un groupuscule la sévérité qu'elle s'applique à elle-même. Vaudrait-il mieux être indien ? Si vraiment le pays est à eux, n'y a-t-il pas la moitié de la population, prétend-on, qui a du sang indien ?

Le gouvernement n'a jamais eu le contrôle du scénario. Il n'a pas celui des routes, des urgences d'hôpitaux, des dépotoirs et de l'environnement, pas même de ses dépenses. Pourquoi ces orateurs réussiraient-ils mieux dans le domaine immatériel des médias et du théâtre ?

La première victime de la guerre, dit l'adage, est la vérité. Le 22e le savait. Bourassa et Mulroney ne s'en sont pas doutés une minute. Les Warriors, eux, écrivaient tout le dialogue.

L'angoisse qui s'est manifestée par des lettres colériques, des jets de pierres et la dénonciation des médias anglophones est bien moins dirigée contre les autochtones que contre soi-même. La blessure, la honte d'être québécois, c'est-à-dire d'avoir eu peur, et peur de se défendre, la honte de la faiblesse... En avoir ou pas ? disait Hemingway. On découvrait qu'on n'en a pas.

Les répercussions de l'été 90 vont secouer la société québécoise bien plus longtemps qu'octobre 70.

Sénateurs, faites-vous papa-kiri

Novembre 1990

Alors que les Communes devraient s'occuper du chômage, de la crise fiscale, de l'impasse constitutionnelle ou des revendications des Indiens, nous voilà de nouveau dans un de ces psychodrames que nous inflige régulièrement le Sénat. Le Temple du Sominex va-t-il réussir à bloquer l'adoption de la TPS? Et à ouvrir le chemin à un Jean Chrétien qui en a bien besoin?

On s'en veut de médire, même par la bande, de gens qui ne sont pas tous des haridelles des machines politiques, des collecteurs de fonds et des rédacteurs de mauvais discours. Il y a entre autres la dernière charrette de conscrits, qui n'ont peut-être accepté d'être dépêchés momentanément sur le front de la tisane que pour s'opposer aux manœuvres antidémocratiques de la vieille majorité libérale.

Mais le Sénat est pavé de bonne volonté, comme l'enfer de bonnes intentions, et on s'en voudrait de ne pas profiter de l'occasion pour taper encore une fois sur cette institution archaïque et nuisible, ce Salon de l'Inutile, ce Club des Sans-Mandat, moins représentatif qu'une chambre de commerce. Et quand on a dit que les sénateurs n'ont aucun mandat, qu'ils ne représentent que les intérêts des partis ou leurs préférences personnelles, on n'a montré qu'une petite partie du problème. Le pire, c'est qu'ils peuvent se permettre n'importe quel abus, n'ayant jamais à affronter les électeurs, même pas à paraître à la télé.

Le Sénat est une des béquilles qu'installe un parti au pouvoir pour s'imposer longtemps après sa défaite malgré la volonté populaire. Un clan n'est pas vraiment en place tant qu'il n'a pas duré assez longtemps pour meubler la Chambre haute et préparer d'utiles boycotts dans l'avenir. Il y a quelques années, on a abaissé l'âge de la retraite de ces fantômes du charisme : on aurait dû plutôt élever celui de l'intronisation, pour que le remplacement cesse de se faire avec une lenteur géologique.

Depuis que les électeurs ont mis fin à cinquante ans de régime libéral, le Sénat, que Pierre Trudeau a truffé de poteaux assez jeunes pour tenir le coup jusqu'au tournant du siècle, est devenu un coup d'État permanent, qui détourne des débats véritablement cruciaux — l'an dernier le traité de libre-échange, cette année la première réforme fiscale sérieuse depuis l'invention de l'impôt sur le revenu — à des fins purement partisanes.

La taxe sur les produits et services déplaît. A-t-on déjà vu une taxe qui a la faveur populaire? Et le gouvernement l'a sans doute mal expliquée puisque tant de contribuables sont dans la confusion, croyant que cette ponction s'ajoute à une taxation déjà abusive. Mais la taxe à la valeur ajoutée a été adoptée par quelques dizaines de pays : elle est efficace, neutre, favorise l'épargne, et surtout il est difficile d'y échapper et, en ce sens, elle est plus juste que l'impôt sur le revenu. C'est la méthode de taxation moderne par excellence. Elle contribuera à réduire l'un des déficits les plus élevés du monde, qui paralyse la capacité du Canada de régler ses problèmes sociaux et économiques.

Mais on se retrouve en train de défendre la TPS alors que ce qu'il faut défendre, c'est le droit des électeurs à choisir leur gouvernement et leur politique. Il a été question, tout le printemps, de réforme du Sénat. Le Sénat 3-E. On voudrait y mettre plus de monde, leur donner plus de pouvoir, et les faire élire. À moins que cette élection ne se fasse simultanément avec celle des Communes, on voit bien la catastrophe que constituerait cette pseudo-réforme, qui institutionnaliserait la confusion et la paralysie.

Le Québec a aboli il y a longtemps son Conseil législatif — aux applaudissements, d'ailleurs, de certains qui sont aujourd'hui au Sénat — et ne s'en porte que mieux. Les petits jeux de coulisses du Salon des Refusés sont une des causes du cynisme grandissant des citoyens. La principale réforme que l'on attend de ce château au bois dormant, c'est de se faire papa-kiri.

Nous avons vraiment besoin de deux parlements? Alors pourquoi pas de deux députés par circonscription? De préférence de partis différents, pour se contredire...

On vous parle pouvoir?
Sortez votre culture!

Novembre 1990

Quelle année! On a l'impression que le Grand Téléphage a oublié son vidéo cosmique sur la touche FF. Douze mois qui ont bouleversé l'ordre du monde, qui ont commencé dans l'optimisme et l'exaltation partout, mais qui se terminent sur fond de malaise économique, de guerre, d'anxiété.

Il y a juste un peu plus d'un an, le chancelier Kohl disait qu'il ne pensait pas voir l'unification de l'Allemagne de son vivant. Puis, un matin, un soldat hongrois a cisaillé les barbelés sur la frontière autrichienne. Fuite infime, mais l'Europe de l'Est entière, assurée que le Kremlin n'allait lâcher ni l'Armée rouge ni les polices secrètes — et c'était là une véritable révolution — se mit à penser et à parler vrai, et à « zapper » ses maîtres les uns après les autres.

Après la Hongrie, ce fut Leipzig, où une coalition circonstancielle de pasteurs protestants, de socialistes, de verts, de dissidents, descendit dans la rue. Le 9 novembre, anniversaire de la création de la République après la chute du Kaiser, le Mur tombait : l'événement politique du demi-siècle. Le grand dégel emportera ensuite la Tchécoslovaquie longtemps traumatisée par la répression de 1968. Même les communistes de Roumanie et de Bulgarie se sont sentis obligés de monter une assez bonne imitation de la *perestroïka*.

1990, c'est, sous la poussée des nationalismes, la réunification allemande, les déchirements des Azeris, des Arméniens ou des Ouzbeks. Sur le mode agressif, c'est la saddamisation du Koweit. C'est la grogne d'un Québec mal à l'aise dans un train qui va dans un sens opposé à celui qu'il souhaite, et la réplique butée d'un nationalisme canadien inquiet. Pour ne rien dire des Indiens, qui voudraient que l'Histoire n'ait été qu'une répétition générale…

Le monde entier se redistribue sur les cartes d'une planète où, avec l'information presque instantanée, rien n'échappe plus à personne. Les minorités réclament leur apanage, refusent l'intégration, la fusion dans le mouvement à la mode vers les « grands ensembles ».

Ces angoisses travaillent toutes les sociétés. C'était inévitable. La globalisation de la consommation et de la culture, l'impact des technologies de communication, le contrôle informatique multiplient à l'infini la force de frappe des grandes nations. Les petites cultures se sentent submergées. Peu leur importe que souvent elles aient gagné le droit à l'existence politique et qu'elles se développent économiquement, elles se sentent en même temps changées malgré elles. Ce qui s'adresse aux masses court-circuite les élites et les pouvoirs locaux. Le monde s'homogénéise.

Mais en même temps, les techniques qui menacent les petites cultures, qui leur donnent plus que jamais le sentiment de leur précarité et fouaillent leur anxiété, leur apportent des moyens de résister et de se faire des alliés. Elles rendent inévitable une sorte de pression contraire vers la décentralisation politique et administrative. C'est en faisant parvenir en Iran des cassettes en contrebande que l'ayatollah Khomeiny a renversé le shah. Avant et après Tien An Men, l'arme des résistants chinois est le télécopieur. Les Mohawks ont donné à tous les spécialistes une leçon exemplaire de propagande télévisée. Et dans bien des pays encore, on peut posséder un fusil de chasse, mais pas une machine à écrire.

À l'âge de l'ordinateur, tout peut être fait sur mesure. Chacun voit sa différence et la réclame. Le statut particulier devient la règle universelle.

Car sous les structures et les appareils politiques, sous les frontières historiques, il y a la réalité des peuples. Et leur réalité, leur nature, c'est leur culture. Elle est presque toujours plus forte que les pesanteurs économiques. C'est presque toujours elle, à la longue, qui l'emporte.

En même temps que s'étendent les macro-ensembles se multiplient les micro-nations. « Bientôt les peuples humiliés entreront sur la scène de l'histoire », disait Lénine. Mais contrairement à ce qu'il croyait, ils n'y arrivent pas par le bout du fusil. Ils y arrivent par la cassette, la télé, le fax, l'ordinateur. Jadis, les peuples naissaient et disparaissaient dans le fer et le feu, aujourd'hui ils s'imposent ou s'évanouissent dans les colloques, les négociations, les médias.

Reste-t-il un médecin dans la salle?

Janvier 1991

L es tickets modérateurs ou « orienteurs » dans les services de la
santé sont une forme de rationnement. Mais l'inefficacité aussi est
un rationnement, même s'il est mieux accepté, parce qu'il touche
presque tout le monde, et surtout parce qu'il est invisible. Et le refus
de dépenser davantage pour l'équipement et les traitements dont
la médecine est aujourd'hui capable est lui aussi une forme de
rationnement. Bien sûr, les scanners, les transplantations, les dialyses,
certains médicaments de pointe coûtent cher. Il va de soi qu'une
médecine du XIXe siècle, ou même des années 50, coûterait beaucoup
moins.

Qu'est-ce qui justifie Dieu-le-père-qui-est-à-Québec de jeter le
système de santé québécois dans une autre de ses révolutions pas si
tranquilles? N'avons-nous pas « le meilleur système de santé au
monde »? Et côté coût, on en est, assure-t-on, à 7 % du PIB, 2 % de
moins que le reste du Canada, 4 % de moins que les États-Unis.
Jusqu'où veut-on descendre?

Pour faire avaler la « réforme », c'est-à-dire de nouvelles « coupures », on parle de prévention. Qui oserait être contre? Mais en
disant que « la solution, c'est la prévention », le ministre Marc-Yvan
Côté ne dit pas autre chose que Maurice Duplessis il y a quarante
ans : « La meilleure assurance-maladie, c'est la santé. » La prévention
peut allonger l'espérance de vie, mais à long terme nous serons tous
morts et, sauf exception, après utilisation massive du système médical.
À moins, bien sûr, de considérer carrément la maladie comme le châ-
timent de ceux qui ne suivent pas les prescriptions des apôtres de la
vie « saine », il faut *et* la prévention *et* les soins. Il s'agira, si on veut
y mettre le prix, d'une dépense *en plus* et non pas à la place.

Les médecins ont mauvaise presse. Comme les avocats. Ou les flics. Les professions qui interviennent dans la vie des gens en pleine crise, en plein malheur, n'ont jamais eu la cote d'amour, même si on n'entend pas se priver d'elles. Cette rancune profite à d'autres corporatismes, entre autres aux bureaucrates. Il ne s'agit pas d'une lutte d'argent : si c'était le cas, on aurait eu recours depuis longtemps à des systèmes d'assurance privés, des HMO, des coopératives. C'est une lutte de pouvoir, de contrôle social. Les bureaucrates sont des gens frustrés : leur pouvoir n'est que délégué, et ils en veulent à tout ce qui est autonome, politiciens, journalistes, professionnels, médecins, gens d'affaires...

Veut-on du lait, des chaussures, de l'essence, des ouvriers dans un endroit éloigné, difficile ? On paie plus cher. Aux médecins, au lieu d'offrir des primes d'éloignement, on inflige des punitions s'ils refusent l'exil, préférant rester près de leurs contacts professionnels, des universités, des hôpitaux, des centres de recherche. Or essayez donc d'éloigner un fonctionnaire de son bungalow, ou de le muter à plus de 30 km ! Les primes, ce sont pour eux, pour les députés, les sénateurs, les manœuvres, les ingénieurs, les biologistes : pas pour ces salauds de médecins !

La guerre est déclarée entre les classes d'une *nomenklatura* qui se dispute le pouvoir et ses retombées.

Libérez la liberté!

Mars 1991

On comprend que jadis des populations sans instruction, et misérables, aient eu besoin de la protection de nuées de barons, de ducs et de rois. Aujourd'hui que le citoyen a plus d'instruction que jamais dans l'histoire, qu'il est plus capable de gérer ses affaires et sa vie, on voit se multiplier malgré tout les gens qui prétendent décider pour lui. Le balancier des libertés commence à revenir en arrière.

Avec l'élévation du niveau d'éducation et l'effondrement des idéologies, les démocrates seraient enfin capables d'entamer la réalisation d'un vieux rêve : le recul progressif de l'État. À la veille d'écrire une Constitution qui nous durera bien cent ans encore, pas un mot en ce sens! Le rapport Allaire du Parti libéral propose une structure qui rappelle celle de la Suisse. Mais seulement, hélas! dans sa répartition des pouvoirs entre le fédéral et les provinces. Pas à l'intérieur de l'État québécois. L'élite politique ne se bat que pour une chose : du pouvoir. Toujours plus! Parions qu'au terme des débats actuels sur la Constitution, nous n'aurons choisi ni l'un ni l'autre des gouvernements, mais que nous finirons par garder les deux, et plus puissants qu'avant.

« La liberté politique est une exigence absolue, la réunification une exigence relative », écrivait le philosophe Karl Jaspers, en parlant de l'Allemagne. Et la souveraineté?

Avons-nous vraiment besoin d'autant d'État que nous en proposent, d'un côté comme de l'autre, les tricoteurs de Constitution? Il faut s'étonner qu'à peu près aucun des mémoires qui ont inondé la commission Bélanger-Campeau n'ait posé cette question.

On va bientôt nous demander si nous voulons être mangés à la sauce rouge, ou à la bleue, par la bureaucratie outaouaise ou la québécoise. Nous sommes peut-être une révolution en retard. Qui cherche vraiment à réduire la charge écrasante que les contribuables ont sur le dos? La croissance des gouvernements continue, en budgets, en employés, surtout en interventions de toutes sortes. Il a fallu embaucher 6 000 personnes juste pour gérer la TPS! La machine publique est devenue le premier des lobbies et assure en priorité son propre développement. Lors des privatisations de sociétés d'État, la rentabilité s'obtient... en liquidant la moitié des effectifs, ce qui mesure assez bien l'efficacité du secteur public!

Les déficits gouvernementaux ont atteint, avant même la récession qui va amplifier les dommages, un niveau de crise financière. Les impôts approchent du point de non-rentabilité. Et le coût des services publics continue à augmenter plus vite que tout le reste.

Les gouvernements font de plus en plus de choses, mais de moins en moins bien, qu'il s'agisse d'environnement, d'éducation, d'hôpitaux ou de routes. Il faut faire moins et mieux. Libérer les ressources, libérer les gens. La prospérité des pays semble inversement proportionnelle au poids de l'appareil gouvernemental.

On devrait fixer la Fête nationale du Canada le 14 juillet. C'est la date où le citoyen commence à travailler pour lui-même après avoir allaité et engraissé 11 parlements, un sénat, des douzaines de communautés urbaines, de municipalités, locales, régionales ou de comté, de commissions scolaires, auxquels d'aucuns rêvent d'ajouter d'autres structures électives pour la gestion de la santé, du développement, etc.

Il faut un cadre constitutionnel, soit, mais pour y mettre quel portrait? Faut-il des élections aux cinq ans, ou se donner le plaisir de virer nos maîtres chaque année? Avons-nous vraiment besoin d'une trentaine de ministères? Ne devrait-on pas déléguer pouvoirs et responsabilités aux administrations locales? La session doit-elle vraiment durer si longtemps? Pourquoi ne pas institutionnaliser le référendum comme les Suisses? Le public, qui a désormais autant d'éducation et d'expérience que les élus, est moins susceptible qu'eux de céder à la bureaucratie, aux syndicats, aux appareils des partis ou aux lobbies du « toujours plus ».

L'arabe oui, l'anglais non...

Avril 1991

À Brossard, on a pensé amener des imams à l'école pour enseigner à quelques centaines d'enfants musulmans le Coran et la « morale musulmane » pendant l'enseignement religieux et, après les heures de classe, l'arabe. Le tout assorti de locaux spéciaux pour la prière. Cela, prétendument, pour « intégrer » les néo-Québécois d'origine proche-orientale ou nord-africaine.

On aurait pourtant cru que l'intégration passait par... l'intégration, c'est-à-dire par l'enseignement des langues officielles et de valeurs communes, plutôt que par la perpétuation et le développement de toutes les particularités du monde.

Le projet annoncé par un directeur d'école a été abattu en flammes comme un missile Scud. Il faut se réjouir : la population est en bonne santé intellectuelle. Le ridicule tue encore, merci Allah.

Le ridicule, en effet. Car ces écoles où l'on s'apprêtait à introduire la mosquée sont des écoles *catholiques*. Aurait-on aussi créé un « comité musulman » du ministère de l'Éducation pour approuver professeurs, prières et manuels ? Existe-t-il une « morale musulmane » différente de la morale tout court ? La hiérarchie religieuse ne s'opposait pas à l'idée, paraît-il. On ne sache pas pourtant qu'elle ait jamais offert les écoles catholiques à l'enseignement rabbinique. Ou aux Disciples de l'amour infini.

Le Québécois francophone est tout prêt, par « tolérance » tiersmondiste ou par sentiment de culpabilité, à sacrifier sur l'autel du pluriculturalisme déchaîné, mais refuse à sa minorité d'un million d'anglophones, avec deux cent vingt-cinq ans d'histoire, l'usage public de sa langue ! L'anglais non, l'arabe oui. Débile.

L'affaire, même avortée, montre deux complexes de la société québécoise francophone. Celui de la difficulté à assumer son statut de majorité, à organiser sa relation avec ses immigrants, et à faire la différence entre la tolérance et le renoncement, le refus et la réserve, l'accueil et la bonasserie. Et par ricochet, son complexe de l'anglais.

Tout cela montre aussi comment les réformes que l'on a refusé de faire il y a trente ans coûtent de plus en plus cher socialement. En 1960 en effet, il s'était créé, pour lutter contre l'obscurantisme qui régnait dans l'école publique et en empêchait le développement même matériel, un Mouvement laïque : ses membres n'étaient pas anti-religieux, ils proposaient simplement d'étendre à l'enseignement public la séparation de l'Église et de l'État instaurée partout ailleurs, de libérer l'école de son hypothèque cléricale et la religion de ses tâches domestiques.

Plus d'une génération plus tard, une arrière-garde réactionnaire réussit à perpétuer l'archaïque structure scolaire religieuse, bloquant le développement d'un secteur laïque et, surtout, compromettant l'intégration des immigrants à la majorité francophone. Ce sont ces personnes qui dénoncent « l'invasion étrangère » et n'ont que des solutions autoritaires à proposer pour un problème causé naguère par le refus de beaucoup d'immigrants de fréquenter l'école catholique, et aujourd'hui par la faiblesse des effectifs scolaires francophones. Si ces derniers se trouvaient réunis, au lieu d'être répartis dans des écoles « protestantes » et « catholiques », l'intégration des néo-Québécois serait moins problématique. Ni Ottawa ni « les Anglais » ne sont l'ennemi en cette matière.

Opération anti-médecins

Juillet 1991

L e gouvernement, qui a perdu le contrôle des coûts du secteur public, découvre que l'élément le moins cher du système médical, c'est la salle d'attente. Qu'on parle de ticket modérateur ou orienteur, d'« abus médicaux » — les abus, c'est les maladies des autres ? —, on parle toujours de rationnement, de réduction des services.

Ce qui se produit aujourd'hui dans le système médical est un nouveau signe de la dégradation générale des services publics au Québec : rues, routes, ponts et infrastructures, transports publics, débudgétisation universitaire… Un nouveau signe de l'appauvrissement du Québec. Une société siphonnée par un secteur public pléthorique, et écrasée par les dettes et les taxes, a de moins en moins les moyens de se payer même l'essentiel. Il y a des lieux où la dégradation est plus facile à constater : une autoroute désuète, c'est le chaos ; un taux de décrochage au secondaire qui atteint 40 %, cela se mesure. En matière de santé, on ne verra les conséquences que dans dix ans.

Ce détournement de services est habilement camouflé sous des dénonciations du « pouvoir médical » et autres sottises du genre. Pouvoir médical ? Il ne reste qu'un seul médecin dans le gigantesque ministère de la Santé et, aux dernières nouvelles, tabletté et écœuré, il s'apprêtait à partir ! Imagine-t-on un ministère de la Justice sans avocats ? Des Travaux publics sans ingénieurs ? De l'Environnement sans écolos ?…

La bureaucratie chasse les médecins de tous les centres de décision, comités, hôpitaux, CLSC, et a menacé de les soumettre même dans leurs cabinets privés à des sortes de soviets populaires surveillés par des commissaires du peuple ministériels. Au contraire, la loi devrait *assurer* la présence des professionnels de la santé à tous les niveaux de gestion. Tout cela est l'aboutissement d'un plan défini dans le rapport de la commission Rochon, où ne siégeait pas un seul professionnel de la santé en exercice, et dont on a fini, après des années de « consultation » bidon, par imposer les rochonneries.

On découvrira trop tard que comprimer le développement inévitable du service médical, c'est dire que les citoyens sont déjà assez soignés, et que faire la guerre aux professionnels de la santé, médecins, infirmières, psychologues, etc., c'est s'attaquer aux malades. Quant à la prévention, dont on se gargarise, les bureaucrates oublient qu'elle se fait au bureau des médecins et la confondent avec la morale. On dit aujourd'hui que le citoyen est responsable de sa santé : on lui dira demain qu'il est coupable de sa maladie. Et on lui enverra la facture. Un ticket « orienteur »… de comportement.

Les médecins québécois sont déjà les moins payés de tout le pays. Dans les hôpitaux, on manque d'équipement de pointe autant que d'espace. Nos services d'urgentologie sont une farce indigne d'un pays moderne. Les Québécois dépensent pour leurs maux une plus petite partie de leur PIB que le reste du pays. Et d'un PIB plus bas que la moyenne. Non pas parce qu'ils sont moins malades, ou que le système est mieux géré, mais parce qu'ils se soignent moins…

Cette démarche coercitive étonne chez un gouvernement soi-disant libéral. Mais son manque de vision surprend encore plus quand on se souvient que ce gouvernement a des prétentions au développement économique. Sitôt qu'il y a baisse de la construction domiciliaire, on se hâte de la relancer avec des programmes spéciaux ; or elle ne compte que pour 3 ou 4 % du PIB. Le seul soin des malades, lui, compte pour 8 % et ne peut qu'augmenter avec le vieillissement de la population, le développement des techniques médicales et l'ouverture de l'accès aux traitements. Dans certaines sociétés, il dépasse déjà 10 % ou 12 %. Et cela avant de comptabiliser la recherche et l'industrie pharmaceutique.

Dans tout l'Occident, la médecine, les sciences biologiques et la biochimie sont en train de devenir un des principaux moteurs de l'économie, avant le pétrole, l'aviation, ou l'automobile. Il s'agit d'emplois de haut niveau dont l'effet d'entraînement est considérable.

Les nostalgiques des illusions maoïstes des années 60 et des « médecins aux pieds nus », hostiles aux médecins au point d'éviter l'usage même du mot « médical », ne contribuent pas au développement de la qualité de vie ni d'un savoir-faire québécois dans le domaine. Seulement à une médecine de va-nu-pieds.

Alors, on se branche?

Novembre 1991

L e Québec peut être dedans ou dehors. Il y a plusieurs façons d'être dedans, il n'y en a qu'une d'être dehors. Si l'affaire a paru confuse depuis vingt-cinq ans, c'est qu'il y a trop d'indépendantistes qui veulent, quoi qu'il arrive, garder une participation plus ou moins symbolique dans cette bonne vieille chose, le Canada, qui a été la leur trop d'années pour qu'ils n'y aient pas le cœur bien accroché. Et trop de fédéralistes qui ne le sont pas vraiment. En somme, une coalition qui voit le fédéralisme comme un membership dans une chambre de commerce ou une souscription à une compagnie d'assurances.

Mais vingt-cinq ans de dialectique ont créé une situation nouvelle. Les Québécois vont devoir répondre à la vieille question de leurs voisins, et dire ce qu'ils veulent autrement que par la voix du politicologue le plus sagace que le Québec ait produit, Yvon Deschamps. Veulent-ils être dehors ou dedans?

En vingt-cinq ans, le Québec a beaucoup changé. Mais il n'a peut-être pas été attentif au fait que le Canada anglais changeait plus encore. Aujourd'hui, travaillés par les bouleversements démographiques et sociaux, jetés dans le creuset du libre-échange et de la concurrence internationale, inquiets de leur survie culturelle autant sinon plus que les Québécois, les Canadiens anglais font le point sur leurs institutions. Cette puissance moyenne — on parle quand même de la septième économie du monde — déclenche à son tour sa révolution tranquille. Cela va déranger. On sait comme la Révolution tranquille des Québécois a bouleversé l'assurance et la sécurité douillette de sa minorité anglophone. On ne peut pas penser que les Québécois ne devront pas s'adapter eux aussi à des changements de comportement de leurs partenaires.

Le mot clé jusqu'à présent était le mot *fédéral.* Il semble que dorénavant ce doive être le mot *national*. Soixante-quinze pour cent de la population de ce pays cherche à tâtons à réaliser des objectifs communs en matière de développement scientifique et économique, d'éducation, de niveau de vie, de protection sociale. Et de puissance politique. Tout le monde peut jouer, que l'on vienne de Corner Brook, de Chicoutimi, de Vancouver ou de Hong Kong, mais selon les règles de la majorité. En mettant la réforme constitutionnelle au premier plan de l'ordre du jour canadien, le Québec a ouvert une boîte de Pandore.

Le Canada français et le Canada anglais sont des sociétés distinctes en grande partie par le sens fort différent qu'ils donnent aux mêmes mots. Hors Québec, la culture est un choix individuel, une affaire de littérature, de musique, de souvenirs. De ce côté-ci de l'Outaouais, demande-t-on, qu'est-ce qu'une culture qui ne serait qu'un curriculum, même garanti constitutionnellement, si elle ne dispose pas de la totalité des moyens politiques et économiques nécessaires à son expansion et à sa domination ? Le Québécois, sous le vocable de culture, ne parle pas de protéger son héritage, mais de bâtir une société en soi, avec son économie, même sous le parapluie du vocable « canadien ». Il donne au mot culture son sens sociologique, presque allemand, pour qui la culture est tout. L'anglophone voit l'économie comme un environnement où le citoyen trouve la capacité d'assurer ses choix individuels.

Bien malin qui peut deviner quel accommodement vont trouver ces deux peuples qui se livrent depuis deux cents ans un bras de fer le plus souvent civilisé, peut-être, mais un bras de fer quand même. Jusqu'ici, ils ont réussi à coexister. Et ils ont tous les deux grandi, prospéré, avancé. Si cette fois leurs chemins divergent, il est évident que le ballon sera dans le camp du Québec. Ce n'est pas au reste du Canada qu'incombera le choix, mais aux Québécois. Dedans ou dehors.

Le diable qu'on connaît, disent les Anglais, vaut mieux que celui qu'on ne connaît pas. Mais peut-être aussi le processus déclenché est-il irréversible. Et tôt ou tard, les Québécois devront se poser la seule question : dehors ou dedans ? S'intégrer ou se séparer ? « Êtes-vous en faveur de l'indépendance du Québec ? » Oui ou non.

Et cela presse, car la situation et l'incertitude actuelles ne peuvent pas durer. La Constitution est devenue une obsession, une idée fixe, qui pompe toute l'énergie, détourne toute l'attention au moment où les défis les plus pressants s'appellent éducation, santé, recherche scientifique, environnement, démographie.

La Baie-James et l'erreur des Cris

Décembre 1991

D onne-moi du miel ou je te tue! disaient jadis les enfants aux
sauterelles. Les Cris ont peut-être tué leur sauterelle.

À la première phase du développement hydroélectrique de la
Baie-James, une convention dont ils se sont montrés fort heureux a
fait d'eux non seulement les premiers Amérindiens du pays à obtenir
une reconnaissance officielle, mais les plus riches. On comprend qu'ils
aient songé à profiter du débat sur la Constitution pour faire monter
les enchères, ou même rouvrir la convention de la Baie-James : il n'est
pas exclu que certains y voient même l'occasion de garder pour eux
seuls les ressources du Nord. Pourquoi partager quand on croit avoir
un droit d'aînesse ?

Mais tel est pris qui croyait prendre. Il faut faire attention avec
qui on va à la chasse. Les Cris de la Baie-James ont trouvé plein de
gens tout prêts à les aider. Et à se servir d'eux pour avancer leurs
petites affaires. Il y a d'abord les « verts » qui ont vu dans ce conflit
entre le minuscule peuple cri, perdu dans sa toundra, et l'arrogante
et puissante Hydro-Québec, le mélo idéal pour faire pleurer dans les
chaumières, stimuler la générosité des donateurs. Ils n'avaient qu'à
danser avec leurs amis improvisés pour collecter.

Au Canada anglais, on n'est pas trop fâché. La guérilla crie contribue, après la crise d'Oka, à déstabiliser un peu plus un Québec
trop sûr de lui. On se fait un plaisir de noter les connexions politiques
de certains des mercenaires des aborigènes dans cette guerre contre
le gouvernement québécois. Une nation qui inflige à ses Indiens un
sort comparable à celui des Noirs en Afrique du Sud se refait une
image et se redonne bonne conscience tout en encaissant des divi-
dendes politiques. Confronté à une dissidence touchant la majeure

partie de son territoire, le Québec va peut-être se préoccuper moins de souveraineté et se montrer plus docile...

Ce n'est d'ailleurs pas la première fois que la vente d'électricité aux États-Unis rencontre des résistances à Ottawa : interventions au nom de l'environnement, déclarations au sujet de la propriété du territoire, décisions de la Commission nationale de l'énergie.

L'Ontario non plus n'a pas intérêt à ce que le Québec exporte son électricité. La moitié de ses centrales nucléaires approchent de la retraite, et ne fonctionnent qu'aux deux tiers de leur capacité théorique. L'expansion ne peut se poursuivre que si on trouve d'ici la fin du siècle des quantités massives d'énergie. Or, elle n'a plus de grandes ressources hydrauliques à développer et pour bâtir une centrale nucléaire aujourd'hui, il faut se lever plus que de bonne heure.

Conjoncture parfaite : d'un côté, des Cris à qui leur nouvelle richesse et la plus-que-révolution-tranquille qu'ils vivent a permis de sortir de leur forêt, de voir le monde, d'entrer dans le XXIᵉ siècle. On n'a plus affaire à Billy Two Canoes, dit le caricaturiste Aislin, mais à Billy Three Fax Machines ! De l'autre, des témoins intéressés qui attendaient l'occasion.

L'achèvement du complexe hydroélectrique de la Baie-James est peut-être compromis à jamais. Comme l'a expliqué un des rejetons de la très excitée famille Kennedy, les frontières ne comptent plus, le devoir d'ingérence ordonne d'intervenir partout. Tous les pays découvrent, à propos de pétrole, de baleines, de forêts, de phoques, qu'aucun gouvernement national ne peut plus affronter l'opinion étrangère, bien ou mal informée. Le Québec peut bien décider d'aller de l'avant seul, et garder ses kilowatts pour lui, mais on boycottera son bois, son papier, ses homards, ses avions...

Bien sûr, les Cris, eux, n'auront eu qu'un beau *party*. Une ferveur passagère. Quand l'Ontario ou les États-Unis auront besoin d'électricité, ils la prendront, et les Cris n'auront pas un meilleur arrangement qu'aujourd'hui. Ils sauront, trop tard, qu'il aurait mieux valu régler cette affaire entre Québécois — car ils sont Québécois — plutôt que de se placer entre le marteau de la démagogie et l'enclume de la rancœur. Ce ne sera pas la première fois qu'à renverser à tort et à travers leurs alliances les autochtones se font faire mal.

Une société distincte et après?

Janvier 1992

Quand une société devient-elle assez « distincte » pour que son autonomie politique devienne nécessaire? Pour qu'elle soit inévitable? Les Québécois étaient certainement aussi distincts sinon davantage il y a cinquante ans sans que cela entraîne des effets politiques. Plus on creuse cette expression de « société distincte » — on n'ose pas dire concept —, moins on comprend.

On trouve dans tous les pays, entre régions, provinces ou villes, entre quartiers même, entre classes sociales, des différences qui tiennent à la langue bien sûr, à la religion plus encore, à l'Histoire, à l'école, aux défis à relever, à l'environnement, et principalement aux structures familiales, nous assurent les spécialistes.

Mais ces différences ne créent pas toujours des peuples et des pays. Il s'agit de notions sociologiques ou culturelles qui n'imposent pas fatalement des choix politiques. Certains peuples qui parlent la même langue et présentent des traits culturels communs, vivent dans des pays différents. Inversement, des sociétés très différentes ont formé ensemble des entités nationales et ne songeraient pas à traduire leurs différences de coutumes en termes nationaux. La Californie hédoniste est une culture — pour ne pas dire une civilisation — bien différente de la Nouvelle-Angleterre puritaine.

Citons la France du beurre au nord, celle de l'huile d'olive au sud ou, en Italie, Milan, Rome et Palerme. Ici, dans ce que les médias jettent sans cérémonie dans le panier du « reste du Canada », qui peut parler d'homogénéité? Il y a autant de différence entre l'Ouest et l'Ontario ou les Maritimes qu'entre Montréal et Québec! Toutes les recherches sur les attitudes montrent des clivages profonds entre les rives sud et nord du Saint-Laurent.

Il faut se sortir de la tête l'idée que ce sont des variations de goût en matière de pain ou de café, de consommation, d'amour, d'humour, de religion qui fondent et motivent les choix politiques. Aux États-Unis, même la peine de mort est affaire de frontières entre États ! Ce ne sont pas ces différences d'habitudes qui font les nations et les pays. La moitié des pays de la planète ont plus d'une langue, plusieurs cultures. Cette diversité et la combinaison des talents divers font la force de certains pays, leur homogénéité fait celle de quelques autres.

Choisir un drapeau plutôt qu'un autre repose sur quelque chose de plus que la notion si floue de culture, et même que la langue ou les lois. C'est un choix d'abord émotif, basé sur les fantômes du passé, la confiance en l'avenir, en un mot, la passion. L'idée de souveraineté ne vient pas de là, mais de l'influence et de l'action des partis, des médias, des élites, de l'école. De la volonté de vivre ensemble, de partager un destin et un espace politique autant qu'économique, d'exercer une action commune autour d'intérêts conciliables.

La vraie cause de la morosité du Québec, c'est l'insécurité profonde révélée par les sondages, et le manque de confiance en une Constitution dont un des partenaires refuse de faire une police d'assurance contre l'assimilation, entre autres par des instruments comme le droit de veto ou la double majorité. Le Québec craint la minorisation, la perte de poids politique, l'assimilation, crainte entretenue par l'exemple des minorités francophones hors Québec et le soupçon que l'avenir est insuffisamment protégé par une Constitution qui ne met pas cette survie parmi ses objectifs fondamentaux. Le Québec souhaite une Constitution qui résoudrait l'équation complexe qui consiste à donner aux divers groupes constituants de la nation canadienne la capacité de travailler ensemble, mais en même temps le pouvoir de contrôler chacun son avenir culturel et économique.

Il faut enterrer l'idée de « société distincte », idée toute récente, rejeton rachitique de l'effort minimaliste de réforme que fut l'entente du lac Meech. Il n'y a pas dix ans, les Québécois se qualifiaient encore de « peuple » ou de « nation » — au sens sociologique sinon politique du mot comme dans les « États associés » du Parti libéral de Jean Lesage ou dans les « deux nations » de la commission Laurendeau-Dunton (qui a produit ce qui reste la meilleure sinon la seule étude valable du problème canadien).

Le gouvernement fédéral, qui fait mine de se poser en arbitre, est en réalité juge et partie, et joue la carte de son propre renforcement au détriment des éléments constituants de la nation canadienne.

Grand théâtre indien
à l'Assemblée nationale

Avril 1992

Quiconque répond aux critères établis et se conforme aux procédures exigées peut, d'une déclaration solennelle, devenir Canadien. Tout Canadien peut, avec un simple ticket d'autobus ou d'avion, devenir Québécois en vingt-quatre heures. Mais nul ne devient Indien qui ne le soit de toute éternité. Un Indien est un Canadien, un Canadien n'est pas un Indien. Voilà la citoyenneté quand on la fonde sur la fraternité du sang. À quoi bon Montesquieu, Rousseau, Hobbes, Condorcet, la Déclaration des droits, s'il faut prêter serment sur le groupe sanguin ? À quoi bon aussi la biologie, puisque nous sommes tous des métis de quelqu'un.

Les cultures préindustrielles ou préalphabétiques ont un sens du théâtre que nous avons perdu depuis des siècles. La beauté et le tonnerre de la palabre sont aussi importants et signifiants que le contenu. Elles sont le contenu. La peinture de guerre fait partie de la négociation. On cherche à manipuler l'opinion, à la faire céder avant même la négociation, à imposer une image de courage et d'invulnérabilité. Il ne s'agit pas de menace : simplement d'impressionner. De montrer qu'on en a.

L'insistance d'Ovide Mercredi et de son caucus à tenir une cérémonie religieuse à l'Assemblée nationale du Québec, coiffé des plumes d'une douzaine d'aigles menacés d'extinction, avec fumées et tamtams pour chasser les mauvais esprits, était aussi une façon de s'imposer, comme les « sparages » des « Guerriers » devant la pinède d'Oka.

Les premières réactions de nos députés étaient les bonnes : allez faire ça dehors ! De préférence — cela s'imposait — autour de la « Porte de l'Amérindien ».

Nos ancêtres comprenaient mieux ces langages imagés. Pour accueillir les délégations indiennes, Frontenac se couvrait d'autant de falbalas que quatorze Louis, et tenait des harangues de cinq ou six heures. Et lors de ses expéditions en territoire iroquois, ce septuagénaire manchot entrait dans les villages onontagués ou tsonnontouans paré comme une châsse, debout dans un grand canot doré porté sur les épaules d'une douzaine de serviteurs recrutés sur place, escorté de troupes en uniforme et de milices plus barbouillées que les sauvages. On le comprenait.

Ici, depuis vingt ans, la mode *politically correct* a éliminé de la carte du Nord tous les vieux noms français et anglais et adopté des toponymes indigènes — la plupart de création récente. On a compris.

Peut-être la réaction appropriée aux cérémonies de Mercredi était-elle de mander en toute hâte de l'archevêché une brigade de monseigneurs en soutanes pourpres et surplis de dentelle qui seraient venus balancer dans tous les coins de l'Assemblée de grandes bouffées d'encens et des averses de goupillons, pour chasser d'autres esprits ! Après le tam-tam d'Ovide, tout le monde aurait pu entonner *Ô Canada* — ou *Gens du Pays* — et inviter les visiteurs à chanter eux aussi leur entrée dans une société ouverte.

Le « marché » de l'éducation

Juin 1992

En matière d'enseignement plus encore qu'ailleurs, le client doit avoir raison. Il doit même triompher. L'école n'existe pas pour donner de l'emploi, bâtir des structures et des systèmes, faire de la gestion. Elle n'existe que par et pour la clientèle, et cette clientèle a besoin d'informations précises sur la qualité de ce qu'elle achète. Elle veut des garanties. Et si le milieu de l'enseignement et de l'administration scolaire est contre toute idée de classement, la clientèle est pour. On aimerait que les pouvoirs publics se montrent aussi sévères envers eux-mêmes — en ce qui concerne les routes, les hôpitaux, les écoles, tous ces services dont ils ont le monopole — qu'envers le secteur privé, qu'ils soumettent à de sévères réglementations pour la protection du consommateur. Environ la moitié de ce que nous consommons vient de l'État ; il est étonnant de constater que c'est la partie pour laquelle nous n'avons à peu près aucun recours efficace !

Contrairement au domaine de l'automobile, l'école ne fait pas de « rappels ». On peut peut-être refaire une opération manquée, mais on ne reprend pas une éducation ratée, encore moins une génération décrochée. La vie n'est pas une répétition générale.

L'école est protégée du changement tout autant par la révérence du public que par la machine qui contrôle le système scolaire et s'oppose à la diffusion de l'information. Il est facile de dormir sur les lauriers d'antan et de se claquer les bretelles, tout autant que de critiquer à tort et à travers. En éducation, tout le monde est spécialiste et en même temps personne ne connaît rien… Cela semble aberrant, mais c'est normal et nécessaire : l'éducation est un des processus les plus intensément politiques qui soient. La politique l'imprègne toute par définition : par la nécessité d'adapter l'école aux besoins des individus et de la société, par l'intégration des classes sociales et des immigrants, par l'enseignement de l'histoire et de la langue, par les orientations socio-économiques, philosophiques ou politiques des programmes, par la nécessité d'être constamment, quelle que soit l'époque, « politiquement correct ». Il faut donc accepter que l'école soit de toutes nos institutions la plus sujette aux débats, et à des débats largement ouverts. Elle fait partie du marché des idées, où l'offre et la demande assurent le renouvellement et la richesse. L'école doit-elle répondre aux besoins des individus ou à ceux de la société ? C'est un faux débat. L'école produit des gens capables de fonctionner non pas dans une société idéale, mais dans la société qu'on a — et dans celle qu'on aura.

Dans l'univers scolaire, on a tendance à retarder indéfiniment les changements, quitte à accepter, une fois par demi-siècle, de supposées révolutions. Ainsi se vante-t-on encore de la réforme de l'éducation. « Voilà une bonne chose de faite ! » Mais c'était il y a trente ans ! Plus d'une génération. À une époque où il n'y avait pas d'ordinateurs, pas de réseaux globaux de communication, pas de mondialisation des échanges, une époque où l'on commençait à peine à parler d'économie de services et où le grand défi était de passer de l'exploitation des richesses naturelles à l'industrie lourde.

Pendant ces trente années, les bureaucrates ont sécrété leurs propres critères, réussi une extrême centralisation, échappé aux interventions extérieures. Le pouvoir y est presque absolu. L'autonomie locale n'est plus guère que celle de payer, de la maternelle jusqu'à l'université. Cela fait l'affaire de la fonction publique et de cette fonction publique fantôme que sont les syndicats. Les normes de la première assurent l'égalité, une vertu primordiale pour la deuxième.

Les Québécois, des Canadiens
non pratiquants

Juillet 1992

Il faut se rendre à l'évidence. Si, après trente ans d'indépendantisme, neuf années de gouvernement péquiste, un référendum et dix ans de menaces stériles, les Québécois ne se sont pas séparés, inutile de chercher midi à quatorze heures, c'est qu'ils ne veulent pas quitter le Canada.

Certains pensent que l'idée n'est pas assez vieille, pas encore mûre. Qu'avec encore un peu de temps, l'indépendance fera le plein de voix. D'autres croient que les Québécois ne restent dans le Canada que par peur de l'inconnu. D'un désastre. Ou des réactions imprévisibles de leur puissant partenaire et compatriote. La presse anglophone se plaît à répéter que les Québécois restent dans le Canada « pour l'argent ». Par intérêt. Mais ce n'est pas ainsi que les nations se font, dans de précautionneux calculs. Comme les enfants, elles naissent dans la passion, le désir. Ou l'habitude.

Tout simplement, les Québécois aiment bien le Canada. D'une affection secrète, un peu honteuse. Derrière leurs discours et leurs bouderies, ils l'ont « dans la peau », d'un atavisme séculaire. Car si ce pays leur déplaisait tellement, ils seraient sûrement partis.

Le Québécois est un Canadien non pratiquant, peut-être, mais qui entend bien se faire enterrer à l'église, comme il y a été baptisé. Cela se comprend, le schisme ne tenant pas au dogme démocratique, mais à des querelles de cimetière. Le Québec, c'est la maîtresse mais le Canada demeure la légitime.

L'opinion, si on en croit les sondages, n'est guère plus indépendantiste qu'en 1980. L'est-elle plus qu'en 1867, alors que l'Assemblée législative du Québec avait accepté la Confédération par 25 voix seulement contre 24 ? Tout se passe comme s'il y avait toujours eu au Québec côte à côte deux courants, deux projets, deux sociétés, l'une qui accepte de cheminer avec les « Anglais », l'autre qui refuse. L'une qui rivalise d'astuces et de compromis pour protéger le vieil empire continental d'avant 1763, l'autre qui préfère la rupture héroïque ; l'une qui est pour le grand Canada, l'autre pour un plus petit, ramené aux dimensions de la carte linguistique et culturelle — une stratégie qui ne peut évidemment se poursuivre trop loin. Deux courants qui divisent le Canada français en permanence, comme les sensibilités de gauche et de droite ont toujours divisé la France.

Toute l'histoire du sentiment indépendantiste témoigne, à ce jour, de la profondeur de l'attachement au Canada, de ce refus d'y renoncer sans pour autant accepter de s'y fondre comme une minorité parmi d'autres. Une journée, les Québécois disent que l'indépendance serait moins fatigante, bien plus simple, puis le lendemain, ils se disent que ce serait quand même dommage...

L'ambiguïté de cette double appartenance, de ce refus mêlé de désir ou vice versa, ne s'est jamais incarnée de façon plus éclatante que dans les attitudes et les stratégies de René Lévesque, dont le gouvernement, le premier de l'histoire du Québec à avoir eu l'indépendance pour programme, a pourtant mis toute son énergie à y substituer une autre solution, celle d'une confédération à deux. C'est même sous sa gouverne que les Québécois sont devenus les seuls Canadiens (à l'exception des Terre-Neuviens) à jamais avoir dit OUI au Canada par référendum ! Pour tout dire, les Canadiens français sont tellement fédéralistes qu'ils ont même un parti indépendantiste fédéral.

Leur fidélité, avouée ou pas, se comprend. Ils ont découvert le pays, ont investi des siècles de sacrifices, de sang et de misère pour l'extraire de sa gangue de sauvagerie, inscrivant leurs noms sur tout le continent, puis pour conserver à force de luttes politiques le droit d'y vivre à leur façon. On comprend que s'en détacher leur soit si pénible, et même impossible. Car comment croire que ce peuple qui ne veut pas donner un kilomètre carré de terrain de golf à une famélique tribu indienne, encore moins quelques millions d'arpents de toundra, acceptera de lâcher 75 % d'un espace politique et économique où il jouit de tous ses droits de citoyen. Des droits historiques, inaliénables et irréfragables sur le deuxième territoire de la planète — et un territoire riche et libre de surcroît.

Ce n'est pas là qu'illusoire propriété des folkloriques Rocheuses de Jean Chrétien. Tout Québécois peut, sans avoir à demander d'autorisation, au contraire d'un étranger, s'installer où il veut, avec un simple ticket d'avion ou d'autobus, sans visa, sans passeport, sans permis de travail ou de séjour, sans autre acquis que sa compétence ou sa vaillance, trouver du travail, fonder une entreprise, se faire restaurateur, ouvrier, fermier, pêcheur, ingénieur, commerçant ou chômeur. Et avec l'accès à toutes les subventions, pensions et avantages consentis aux citoyens. Et voter. Sans que personne puisse l'en empêcher, l'expulser ou même le lui reprocher...

Et ce droit, non seulement il l'a, mais ses enfants et petits-enfants, nés ou encore à naître, jusqu'à la énième génération, aussi loin que l'on puisse voir. Un contrat non résiliable. Les Québécois le savent, et ils savent que s'ils le déchirent, tout cela ne serait plus possible qu'avec un permis d'immigration, après avoir fait la queue parmi Turcs et Tamouls, Russes et Philippins, Salvadoriens ou Ukrainiens... Un éventuel acte de renonciation à leurs droits sur ce pays, ce serait l'actualisation de 1759, la perte du territoire après celle du pouvoir politique et de la majorité. Au mieux, ils pourraient bénéficier de la même liberté de circulation par suite d'un accord entre États, mais résiliable comme tout accord.

Les Canadiens français, rétorquera-t-on, ne peuvent bénéficier de ces droits acquis qu'en anglais. Encore que ce ne soit pas totalement vrai, ce le serait plus encore après une séparation. Et c'est vrai aussi de tous les autres pays où ils pourraient éventuellement vouloir travailler. Il faut bien parler la langue de la clientèle.

Il faut comprendre que les velléités indépendantistes des Québécois sont pour une bonne part de la politique-fiction. De la tactique, un moyen de pression, de moins en moins efficace cependant, ce qui ne signifie pas pour autant qu'ils sont prêts à y renoncer. Car si les Québécois francophones ne sont pas favorables à l'indépendance pour l'instant, ils ne sont pas non plus contre l'existence d'un parti indépendantiste. Une bouée de sauvetage sur le légendaire océan anglophone. Ils vont le garder en réserve, comme un cheval fringant attaché au perron d'en arrière. Une nation de rechange au cas où... Car le Québec, comme toutes les minorités, toutes les petites nations, n'est pas à l'abri de la sottise et de la brutalité. Ou seulement des injures. Pour paraphraser Wilfrid Laurier, même les Canadiens français ont des sentiments.

Ces Canadiens de toujours sont donc une nation dans la nation, un pays dans le pays. Et cela ne va pas changer. Loin de vouloir devenir des McCitizens parmi vingt-sept millions d'autres, ils s'efforcent de perpétuer leurs différences et d'assurer leur double appartenance par des acrobaties constitutionnelles.

Société distincte : quel pléonasme ! Pour prévenir les malentendus, il importe aussi, en cette période de négociation constitutionnelle, de bien faire comprendre à ceux qui s'imaginent que l'homogénéisation du Canada n'est qu'une affaire de temps, qu'ils n'ont encore rien vu puisque, les sociétés ayant leur dynamisme propre, le Québec deviendra sans doute de plus en plus différent. Et que les Québécois ne vont pas, comme le font souvent les minorités, s'excuser constamment d'exister à leur manière.

Mais il faut se brancher. Il y a trente ans que les Québécois se querellent à savoir s'ils doivent renoncer au Canada. L'idée n'est pas spontanée : elle est attisée constamment par une alliance tacite des milieux culturels, syndicaux et de la fonction publique provinciale. Elle sourit surtout à ceux qui aiment le pouvoir et se disent que leur champ d'action sera peut-être plus petit à Québec qu'à Ottawa, mais qu'il sera à eux entièrement et qu'ils n'auront plus à le partager.

La génération qui a amené l'indépendantisme au pouvoir est celle qui disait en 1968 que « négocier, c'est se faire fourrer ». Les électeurs ne l'ont pas suivie jusqu'au bout et la question semblait avoir été tranchée en 1980. Tout le monde ne l'a pas accepté, de toute évidence. Mais à s'attarder dans le Canada sans s'efforcer d'en tirer le maximum d'avantages sous prétexte de ne pas consolider une situation dont il pourrait vouloir un jour changer, le Québec est perdant. La géographie est la seule constante de la politique étrangère, disait Bismarck. Cela est sans doute vrai aussi quand la politique étrangère est intérieure. Et les Québécois perdent également à promettre l'indépendance sans jamais la faire. À rester assis absurdement entre deux chaises. On peut avoir rêvé d'être médecin ou aviateur et se trouver astronome ou informaticien. Rien ne sert de bouder, mieux vaut s'efforcer de bien jouer la donne distribuée par l'Histoire.

Une langue « juste pour rire »

Mars 1993

Au rayon des complexes, les Québécois ont décroché celui de la langue. Ils ont le sentiment de n'avoir que des langues étrangères. L'anglais, bien sûr, mais souvent le français aussi. Alors, de temps à autre, pour un livre, généralement mauvais, un article, un mot, pour un rien, on pique une crise d'urticaire. Cette fois-ci, le virus est un dictionnaire du « québécois » de la grande tribu des Robert, mais qui apparaît un peu comme un *bum* dans cette famille si correcte.

Et on nous regarde de loin, étonné, sans trop comprendre la raison de ces guerres picrocholines. Même *Time* en a parlé.

Débat oiseux, comme ceux des scolastiques qui évaluaient combien d'anges faire danser sur la tête d'une épingle. On s'étonne qu'il ressourde régulièrement, depuis bien avant le Frère Untel, comme le monstre du Loch Ness. Le problème n'est pas tant le malheureux dictionnaire Boulanger, très professionnel au regard du Petit Léandre et autres prototypes. Non, c'est la matière même dudit dico.

Car on étudie une langue qui n'existe pas! Le « québécois », on en a vu la silhouette dans quelques dialogues, une ombre en poésie pour faire populaire ou par licence poétique. Mais c'est désuet aussitôt dit, comme le *houla-hoop*. Dans toutes les langues, il y a des jargons, des argots de métier, de clan, de jeunes, de modes — *too much* un jour, *flyé* le lendemain, *capoté* pour finir — tous jargons éphémères.

D'ailleurs, quel « québécois »? Le beauceron, le cégépien, le chiak? L'informaticien, le télévisuel, l'Yvon Deschamps? Le québécois du Petit Boulanger est une non-langue. Elle n'est pratiquée nulle part, par aucun journal, aucun organisme. Il n'y a pas un seul livre d'histoire en « québécois », pas un essai, un seul ouvrage de philosophie, de théologie, pas un seul article scientifique. Car une langue doit faire tout cela.

La langue « nationale » sur laquelle on fantasme de temps à autre est une langue pour non œuvres et non idées, un idiome sans auteurs ni lecteurs. En fait, le seul livre auquel le « québécois » a jamais donné naissance est... le dictionnaire lui-même. La langue d'un seul livre, qui ne sert à rien. Comme on prouve le mouvement en marchant, les auteurs auraient pu tourner au moins leur préface en joual. Même un tout petit paragraphe : *yavayink à saseyer*.

Quand il faut un langage commun, même au Québec, les dialectes et les créoles n'ont aucun avenir. Adam Smith a écrit *De la richesse des nations* en anglais et non en scots ; le poète Robert Burns, qui a pris le parti contraire, est aussi illisible qu'intraduisible et reste à usage local.

Que lisez-vous en ce moment ? Qu'avez-vous lu dans le journal ce matin ? Tous les médias québécois, même les plus populaires, sont en français, pas en parlure mythique. Quelle est la langue des avis publics, des règlements, de la banque, de votre contrat d'assurance ?

Car le volapük qu'on tente de gonfler est purement synthétique, mis au point pour la radio et la télé, formé de tous les régionalismes rapaillés au fil d'*Un homme et son péché*, du *Temps d'une paix* et autres chiens et loups, mais qu'on n'utilise ensemble nulle part. Une langue de showbiz, en un mot une langue « juste pour rire ». C'est la langue quasi obligée de l'Union des artistes... la langue de la facilité et de la démagogie. Radio-Canada y consacre des centaines de millions de dollars contre quelques picaillons à un comité de linguistique qui doit se demander de plus en plus quelle est sa justification puisqu'on lui demande de travailler pour rien. Mais ce langage sera aussi, s'il dépassait ce cadre de l'amusement, une lente déliquescence de la communication — qui déjà complique la vie des écoliers et compte probablement dans les problèmes de décrochage —, la langue de l'exclusion culturelle, de l'exil, de l'extinction, un patois qui mène, au bout du compte, vers le passage obligé à une autre langue internationale, l'anglais.

En vérité, ce gaspillage de temps, de talent et de papier sert à quelque chose. Le gaspillage des uns est le profit des autres. C'est une opération fric, pas une opération langue. Elle vaut des subventions à bien des gens. Les « logues » qui confondent langue et anthropologie, dictionnaire et glossaire n'auraient aucune chance de gagner leur vie à faire de vrais dictionnaires français et de vraies grammaires, un marché « trusté » par des érudits à qui l'on ne passe pas une cédille. Mais ils ont trouvé, comme on dit, un créneau.

Alors, en attendant un autre livre (que le dictionnaire), ne serait-ce qu'un almanach, un humble livre de prières, même un banal mode d'emploi, prière de ne plus nous importuner avec votre *desesperanto*.

La langue : Arrêt, stop… Wô !

Mai 1993

Vous voulez paralyser un pays, ruiner une ville, pourrir le climat social et économique, mener les politiciens sur les sentiers de l'absurde ? Faute de guerre de religion, lancez une bonne querelle linguistique.

Comment affirmer le droit « fondamental » à l'usage de sa langue et, du même souffle, imposer des restrictions à l'usage d'une autre ?

Une collectivité qui a la force de restreindre les droits fondamentaux d'une autre ne fait-elle pas la preuve qu'elle n'a rien à en craindre ?

Comment dénoncer les abus des autres provinces contre leurs minorités francophones quand on n'a pas su garder ce que l'anglais appelle le *high ground*, une position morale inattaquable ?

Comment maintenir l'interdiction sous prétexte qu'il ne faut pas mettre en danger « la paix sociale » sans se comporter précisément comme ces premiers ministres des autres provinces, qui refusent des droits à la minorité francophone sous prétexte, eux aussi, de protéger la « paix » des *rednecks* ?

On imagine les cris d'orfraie si le Canada « tolérait » le français comme le Québec tolère l'anglais. Si les immigrants se voyaient interdire l'école française par Ottawa pour « protéger » la majorité anglophone. Si le français ne pouvait, comme jadis au Manitoba, être utilisé qu'en privé.

Est-ce de la logique cartésienne, pour une minorité, de nier le principe d'égalité ?

Il n'y a pas de conflit linguistique. Seulement un débat, sur un péril appréhendé. Et toutes les lois adoptées depuis vingt-cinq ans pour le clore se sont révélées des pièges. René Lévesque avait honte de la loi 101; toutes les instances juridiques lui ont donné raison, ainsi qu'à ceux qui ont vu, dès son adoption, que cette « charte » qui n'en est pas une, cet ersatz de Constitution, cette incantation à tout faire allait devenir une vache sacrée, impossible à amender sans provoquer la crise de nerfs.

« Sans elle, que serions-nous aujourd'hui? » demande Yves Beauchemin. On peut répondre n'importe quoi. Que sans la loi 178, l'accord du lac Meech serait en vigueur. Que Montréal ne serait peut-être pas en chute libre.

Après quinze ans, on n'a pas la preuve qu'elle ait produit quoi que ce soit qui ne serait pas arrivé de toute façon. On l'affirme, mais on n'a rien démontré. Comment séparer l'effet de la cause? Est-ce elle qui a fait émigrer un demi-million de Québécois et qui chasse encore leurs enfants? Est-ce la montée de l'indépendantisme depuis 1958? L'élection du PQ en 1976? Ou n'est-ce qu'un nouveau chapitre d'une évolution amorcée il y a soixante-quinze ans?

Qu'est-ce qui a amené les allophones à l'école française? La « clause Canada » de la loi 101 imposée par la Cour suprême? Ou l'expansion du bilinguisme depuis la commission Laurendeau-Dunton, il y a trente ans? Ou la montée en puissance des francophones dans l'économie québécoise et leur présence accrue au pouvoir fédéral?

La loi du « visage » français n'est-elle pas, dans beaucoup de régions du Québec, celle de l'apparence, un masque? L'anglais n'a pas disparu, ni ceux qui le parlent; c'est la langue d'un million de Québécois, au travail, dans les universités, dans les restaurants et les salles de spectacle. C'est aussi, quotidiennement, la langue seconde de deux millions de francophones, qui font affaire partout dans le monde.

Par contre, on connaît les coûts de cette loi. Coûts politiques, entre autres la mort de la thèse du pacte entre deux nations. Coûts économiques aussi de ce handicap imfligé à Montréal par le reste du Québec, où les problèmes que la loi 178 est censée régler ne se posent même pas.

Et par « l'effet nonobstant », c'est aussi la crise assurée tous les cinq ans, deux ans d'hystérie avant, deux ans de rancœur après, et un an pour s'en remettre.

Mais le plus grave, c'est que la loi 101, qui a démobilisé les francophones et mobilisé les anglophones, empêche le Québec de se donner un véritable programme pour protéger sa culture. Tout

comme un stop n'est pas une politique des transports, les interdictions contre l'anglais ne sont pas une politique du français. Si
vingt-cinq ans de lois 63-22-101-178 avaient été des solutions, on ne
parlerait plus de la question. La vérité, c'est que l'approche actuelle
tient plus du règlement disciplinaire que de la politique. Au lieu de
consacrer des ressources adéquates à la promotion, la diffusion et
l'enseignement du français, on a mis un tchador à l'anglais. C'est le
placebo d'une insécurité alimentée par le terrorisme intellectuel des
spécialistes du « disparaître ».

Comment justifier qu'en pleine rechute de crise linguistique le
gouvernement ferme des centres d'insertion des immigrants ? Qu'il
refuse aux petites commissions scolaires anglophones de subvention-
ner l'enseignement du français ? Que la grande pitié de l'enseignement de la langue maternelle n'ait pas suscité un programme d'urgence à l'école, qui est l'outil le plus puissant, le vrai levier de l'avenir ?

Comment expliquer l'absence de quotas d'anglophones et d'allophones dans la fonction publique ? La captation des élites allophones
dans la machinerie politique et sociale serait un puissant moteur
d'intégration. Hélas ! le gouvernement du Québec est un business
ethnique.

Inversement, la « charte » de la langue n'empêche pas les jeunes
de parler anglais dans les cours de récréation — serait-ce pour suppléer aux carences du programme ? — ni de consommer du showbiz
surtout américain. Ou d'aller chercher du travail ailleurs...

Non, le Québec n'a pas de politique du français. La preuve, c'est
qu'il en demande une à un corps non élu, non représentatif, très
occupé à « couler » des documents alarmistes et réactionnaires pour
protéger son existence (l'Office de la langue). Ce genre d'approche ne
peut mener qu'à du bricolage intellectuel et à des acrobaties ridicules :
français dehors, anglais à l'intérieur, liberté pour les commerces individuels, contrainte pour les commerces « incorporés » [sic]. Absurdité
encore que d'imposer un régime linguistique différent à deux
commerces voisins vendant le même produit, sous prétexte que l'un
est « incorporé » et l'autre pas ! Que l'étiquetage bilingue soit obligatoire sur la marchandise, mais interdit sur les murs ! Pourquoi ne pas
limiter l'anglais aux jours pairs, ou au premier vendredi du mois ?

Ces expédients ne reposent sur aucun principe. Ils fleurent seulement le chauvinisme revanchard et le nettoyage linguistique. Il n'y
a qu'une façon de traiter les minorités : comme on voudrait l'être si

on était la minorité. Surtout quand on est soi-même la minorité de quelqu'un. Le Québec n'a pas à être « généreux », comme le promet Jacques Parizeau, il n'a qu'à être juste.

Le Québec n'acceptera pas pour autant le bilinguisme intégral. Il n'a pas la masse démographique pour s'exposer sans protection à la radiation de la galaxie nord-américaine. Et sa minorité anglophone est elle-même partie intégrante de cette galaxie. Sans intervention vigoureuse sur la langue, le pays français risque de s'épuiser et de s'éroder. Mais ni laisser-faire, ni mesquinerie. En régime démocratique, toute politique est un compromis et doit réaliser un équilibre largement accepté par les uns et les autres.

Une vraie politique linguistique n'agresserait pas les minorités. Elle réaffirmerait que le Québec est et restera un pays français, que la majorité va tout mettre en œuvre pour le rester, et qu'elle attend des immigrants qu'ils s'y intègrent. Les pouvoirs publics doivent affirmer le droit de tous d'être servi en français, de travailler en français. Mais ils doivent surtout étayer le principe par des mesures pratiques et positives de renforcement et de diffusion de la langue, plutôt que de se contenter de stériles interdictions.

Deuxièmement, il faut reconnaître que les anglophones et les autres minorités historiques sont des Québécois à part entière. Une reconnaissance intéressée, d'ailleurs, car s'il reste une façon de sauver le dualisme canadien, c'est de protéger le dualisme québécois.

En matière d'affichage, il faut qu'une porte soit ouverte ou fermée. C'est l'unilinguisme ou la liberté. On devrait respecter l'opinion de la majorité, parfaitement bien connue par moult sondages. La Cour suprême a indiqué une avenue aussi simple qu'élégante : imposer le français partout d'une manière qui ne laisse pas de doute sur ce qui est la langue commune.

Les services sociaux et culturels de la minorité doivent être garantis, bien en deçà des minimums de 50 % de la population dont les anglophobes pensent avec jubilation qu'ils seront tôt ou tard tous érodés. Autant dire qu'on ne respecte les minorités que lorsqu'elles sont majoritaires ! Il ne faut pas être soi-même une minorité très astucieuse pour défendre un principe pareil. Le seuil devrait être très bas. Pourquoi pas 15 %, ce qui est la proportion d'anglophones au Québec ? Au-dessus, les services seraient garantis par la loi. Au-dessous, on laisserait la décision aux instances locales (municipalités ou même quartiers). D'ailleurs, comment le Conseil de la langue française peut-il affirmer dans ses bulletins la « spécificité » de Montréal et y appliquer le même régime qu'ailleurs ?

Pour l'école, la « clause Canada » actuelle continuerait de s'appliquer. Ouvrir l'école anglaise à tous les « *English speaking immigrants* », soulève deux problèmes : d'abord, on ne peut fonder une politique sur des bases ethniques. Et qu'est-ce qu'un immigrant anglophone, dans le monde actuel ? D'ailleurs, pourquoi consentir à des non-citoyens un privilège que les citoyens n'ont pas ?

Enfin, si libéral que soit le régime linguistique, il pourrait faire malgré tout l'objet de la clause « nonobstant ». Elle est aussi constitutionnelle que justifiable et il convient de lui redonner sa légitimité. La manie américaine des poursuites à tout propos gagne de plus en plus, et on ne peut gouverner en permanence devant les juges. Mais surtout, il y a un risque majeur à laisser les libertés fondamentales sous la seule protection des juges. Ce sont les élus qui ont le devoir d'écouter, d'informer et de les défendre.

La déshumanisation de l'économie

Mars 1994

A lors que les chamans de l'économie assurent percevoir enfin de petits bruits encourageants dans le sarcophage de la croissance, les consommateurs, eux, restent catatoniques. Branchés en direct sur leur portefeuille, coincés entre la boulimie du fisc et la crainte d'un chômage croissant, ils s'inquiètent, paient leurs dettes, économisent, l'œil sur des retraites menacées. Le rapport qualité-prix est roi. Les fonds mutuels s'enflamment. La Bourse explose. La consommation stagne. Une boîte de recherche française (CREDOC) constate que pour la première fois pas un seul groupe social n'envisage une reprise de la progression de ses revenus.

Les conséquences sociales sont aussi grandes que les conséquences économiques. La contraction de la masse salariale se répercute sur le taux de formation des ménages (en chute libre), la natalité (en forte baisse), les investissements en recherche et en formation, la dégradation des infrastructures.

L'économiste Paul Samuelson explique le phénomène par le « théorème de l'égalisation des facteurs de prix », énoncé il y a soixante-quinze ans, et sur lequel ses travaux lui ont valu le prix Nobel. Peu après le début de la crise, il y a deux ans, Samuelson prédisait que la qualification toute nouvelle de milliards de travailleurs latino-américains et asiatiques allait bloquer la croissance du niveau de vie des Européens et des Nord-Américains pour fort longtemps. À technologie égale et là où le coût du transport est bas, les salaires des travailleurs non qualifiés des pays développés vont continuer de s'effondrer pendant que ceux des pays sous-développés vont monter, ajoutait-il. Or jamais une technologie ne s'est diffusée aussi rapidement que l'informatique, système nerveux de l'économie nouvelle, jamais le coût du transport n'a été aussi bas, surtout que l'essentiel de l'économie est aujourd'hui affaire de chiffres et de savoir. En dix ans, faut-il s'étonner, le salaire horaire moyen aux États-Unis est tombé de près de 10 %. Et l'Occident a mis 35 millions de personnes à pied.

Alain Chanlat, professeur de gestion des ressources humaines aux HEC, écrit que « notre société est malade de ses gestionnaires ». Ces « nouveaux héros de notre temps » sont des virtuoses du bilan financier et de la plus-value, des magiciens de l'efficacité et de la productivité, mais il manque un élément essentiel dans leurs colonnes de chiffres et leurs évaluations. Qu'ils soient du secteur public ou privé, ils ne tiennent jamais compte de l'impact humain, social, politique de leurs choix. Les fermetures, mises à pied, délocalisations systématiques, avec les conséquences incalculables que l'on constate, sont une déshumanisation de l'économie devenue une valeur en soi. « C'est le triomphe de l'administration des choses », écrit-il, mais l'échec du « gouvernement des personnes ».

C'est ce que disait plus brutalement le célèbre Edward Deming, inventeur de la gestion « à la japonaise », gourou de la qualité totale : « Le management est devenu un simple réflexe conditionné. On met la main sur un poêle brûlant et on la retire sec. Un chat sait en faire autant. »

Cette trajectoire n'est pas terminée. Le tiers monde connaît une croissance explosive de sa main-d'œuvre. Et des géants comme l'Inde ou la Chine, qui arbore la première croissance de la planète et peut-être déjà la deuxième économie, n'ont pas encore débarqué. S'opposer à la libéralisation des échanges et des communications, impossible. Le diable électronique est sorti de sa boîte. Mais importer un produit, c'est importer les conditions de travail où ces marchandises ont été produites. On peut choisir avec qui échanger. Car il n'est pas vrai que, demain, nous serons tous des designers qui feront « bosser » des peuples moins avancés. Le libre-échange devrait être une récompense pour nations méritantes, pour les régimes où les lois permettent aux travailleurs d'améliorer leurs conditions de travail et de devenir à leur tour des consommateurs de nos produits et services. Tôt ou tard, la démocratie triomphe ou triomphera partout, les satellites s'en chargent. La révolution des communications interpersonnelles est l'antidote qui abat les murs et déchire les rideaux.

Il faudra alors aller plus loin, sortir du darwinisme économique et passer au design social, gérer les sociétés et non plus seulement la production, c'est-à-dire, pour reprendre l'expression de Chanlat, réussir le « gouvernement des personnes ». Cela implique que l'on redéfinisse le travail. Croit-on vraiment qu'au Québec près d'un million de personnes soient assises à ne rien faire ? L'économie comptabilise le travail au noir. Comptabilise-t-elle l'activité non rémunérée mais qui n'en est pas moins sociale et valable pour soi ou pour autrui ? Le travail doit cesser de n'être que ce que l'on vend. Comment ? La suite au prochain prix Nobel d'économie.

Lettre ouverte au nouveau premier ministre du Québec

Octobre 1994

Monsieur le Premier ministre,

Vous avez la chance insigne d'arriver aux affaires au moment où, enfin, après quatre années de vaches squelettiques, et avec deux ans de retard sur les indicateurs économiques et sur les États-Unis, les effets de la reprise commencent à se faire sentir chez nous. Au début de 1991, quelque part entre Meech et Charlottetown, l'économie du pays a foiré, étranglée par la politique monétaire de la Banque du Canada et par les impôts. Le nombre de chômeurs a augmenté de moitié, les rentrées fiscales se sont taries, les déficits publics ont bondi, les services ont été ravagés. La récession, disent les économistes, a duré quinze mois. Pour M. et Mme Tout-le-monde, elle s'est prolongée deux années de plus. Avec la meule des déficits au cou, les gouvernements, celui que vous dirigez comme celui d'Ottawa, ont été impuissants. Incapables d'intervenir, incapables de réduire les impôts, ils ont même, par leurs compressions nécessaires, creusé la crise. Et dans la reprise actuelle, ils ne sont pour rien. Absolument rien.

Vous n'avez pas grand temps pour jouer, Monsieur le Premier ministre. Cette reprise n'a rien d'indigène, elle est entièrement tirée par l'économie américaine ; or les spécialistes entrevoient déjà un nouveau ralentissement ; en 1995, disent les pessimistes, en 1997, assurent ceux qui se souviennent qu'il y a des élections présidentielles en 1996. Les trois prochaines années, en un mot, sont le seul créneau de toute la décennie où les Québécois peuvent espérer se refaire un peu, rattraper le niveau de vie perdu, payer leurs dettes, améliorer leur situation économique personnelle et collective. Leur « fenêtre d'opportunité », comme disent les Américains. C'est aussi la dernière chance pour les gouvernements du Canada de contrôler la montée exponentielle des déficits. Le retour cyclique des récessions étant aussi prévisible que celui des saisons, que ferez-vous lors de la prochaine si vous traînez toujours le déficit actuel comme un monstrueux boulet ? De quelle politique anticyclique oserez-vous nous parler ? Le krach fiscal ferait paraître les problèmes actuels comme un pique-nique.

Il vous faut réduire le déficit du Québec de deux milliards de dollars par an, deux années de suite. La reprise économique va remplir les coffres, dites-vous ? C'est l'approche Chrétien. Les lions vont l'emporter. Autant dire à une famille qui ne joint pas les deux bouts qu'elle n'a qu'à gagner plus. Essayez, c'est facile…

Non, on vous pardonnera volontiers, Monsieur le Premier ministre, les petites austérités d'aujourd'hui pour éviter la misère de demain. On vous pardonnera de rengainer vos abondantes promesses et de confesser simplement qu'elles sont la liturgie des élections. Nous acceptons volontiers de faire rire de nous quelques semaines tous les quatre ans pour conserver le droit de faire, de temps à autre, le grand ménage.

Nous vous saurons gré, aussi, de mettre la bride aux idéologues du bien commun, aux mandarins somptuaires et aux groupes de pression qui n'attendent, de mandat en mandat, que de nous dire comment parler, quoi penser, où habiter, comment consommer, qui n'ont de cesse de régner sur les mœurs, sur les esprits, sur les cœurs, de gouverner les gens plutôt que les choses. Le mieux est l'ennemi du bien, et bien gouverner, c'est gouverner peu. Naviguez selon la météo. On fait campagne sur les grandes choses, mais vous serez jugé sur les petites.

Mais surtout, la sagesse veut que vous remballiez la volubile artillerie des débats de société, des chicanes, des grands déchirements, que vous gouverniez, pour le moment, seulement sur ce qui fait l'objet d'un consensus large. Que vous mettiez tout ce qui divise à la glacière — sur le « rond d'en arrière », en latin de cuisine. Pour les grandes questions, on a la vie devant soi ; pour la vie, on ne peut pas en dire autant.

Ce qu'on ne vous pardonnerait absolument pas, ce serait de faire avorter la reprise. De la tuer dans l'œuf. De nous voler dix ans. Nos préoccupations ne sont pas idéologiques ni géopolitiques. Les problèmes qui nous occupent, et qui sont les problèmes de l'an 2000, c'est la garantie d'un emploi, la protection des retraites, l'absurdité du rationnement des soins médicaux alors que la science les rend chaque jour plus abondants, le risque de krach financier, et les insuffisances de l'école, le seul outil que nous ayons pour nous adapter aux changements du monde.

Ceux qui pardonneraient le moins, ce sont tous ceux qui à trente ans n'ont pas encore vu l'ombre d'un emploi permanent dans leur vie. Ceux qui voient s'évanouir la chance d'avoir une maison, une famille. Des entrepreneurs dans le brouillard. Des gens ordinaires las des jeux des puissants. Ils vous demandent, quel que soit le mandat que vous pensez avoir obtenu, de faire comme si vous n'aviez pas été élu pour jouer aux dés, selon le mot d'Einstein, avec leur avenir.

Votre très fatigué,
Jean Baptiste

L'analyse linguistique du vote...
Thèse ou foutaise?

Octobre 1994

L e ciel est bleu. L'enfer est rouge. Même à l'ère où les églises ne sont plus le centre du pouvoir et de l'idéologie, mais simplement des artefacts ethnologiques admissibles au programme de graissage préélectoral d'infrastructures, le vieil adage continue à s'appliquer. Mais alors qu'autrefois on évaluait le vote selon la foi ou la mécréance, aujourd'hui, les nouveaux clercs s'empressent, élection après élection après référendum, de peser le suffrage en fonction de la langue. N'est-ce pas la nouvelle religion?

Aujourd'hui, si Montréal est rouge dans le Québec bleu, ce serait à cause du vote « non francophone ». Un simple coup d'œil à la carte montre pourtant que cette explication, qui est le prêt-à-porter intellectuel des analystes, journalistes ou « logues », est un peu courte. Elle flaire la xénophobie. Elle est dangereuse. Elle est insuffisante.

Xénophobie? C'est en effet une lapalissade, à moins qu'on n'ait la tentation de voir dans ces votes une nature différente et même une valeur différente. Comme si les votes non francophones constituaient une sorte de « paquetage » des urnes.

Elle est périlleuse aussi. Car elle rétrécit le territoire du Québec, qu'il s'agisse de la province actuelle ou du pays éventuel, à la zone d'habitat des « pure laine ». Ce rétrécissement prépare des sépara-tismes ultérieurs. Une minorité peut-elle se permettre ce genre de dérapage? Car le reste du Canada devrait-il n'accepter un vote fédéral que lorsqu'il est conforme à ses vœux, et le disqualifier quand les Québécois lui imposent un gouvernement malgré lui?

Insuffisante, enfin. Car l'analyse linguistique reflète l'absence de culture des groupies et des accros de la politique. En effet, il convient d'abord de signaler que le vote « pure laine » est lui aussi divisé. À peu près par le milieu. Il y a des régions très CFC (canadiennes-françaises catholiques) où les libéraux ont obtenu des majorités. Ensuite, la concentration du vote libéral et anti-indépendantiste dans les régions de Montréal, de l'Outaouais et le long de la frontière américaine reflète des intérêts évidents. Pour Québec, les enjeux sont clairs : M. Parizeau a décrit en termes emphatiques le glorieux avenir qui attend la capitale de la province si elle devient celle d'un pays. Premier centre politique du Québec, elle serait sans doute à moyen terme son centre économique et même démographique. Une revanche attendue depuis un siècle et demi. Pour Montréal, les risques sont tout aussi clairs : deviendrait-elle une sorte de Nouvelle-Orléans ? Enfin, on notera que les zones rouges de la carte électorale sont celles qui ont le plus d'échanges avec l'Ontario ou la Nouvelle-Angleterre — Outaouais, Estrie, Beauce.

Ce genre de division existe dans tous les pays. « La politique coupe la France en deux », écrivent les sociologues Emmanuel Todd et Hervé Le Bras (*L'Invention de la France*, Gallimard), qui ont étudié les sources profondes de ces différences politiques. « L'existence d'une structure géographique de la politique [française] crève les yeux. Certaines régions appartiennent à la droite, d'autres à la gauche. Chaque élection [...] réactive la conscience de cette structure. [...] La simple constance dans le temps du vote suggère l'existence d'une dimension anthropologique du phénomène politique. » Le Nord et le Sud votent à gauche, le Centre et l'Est à droite, et nul n'y peut rien. En Allemagne, le Rhin est catholique et de tradition libérale, alors que l'Est luthérien succombe à tous les totalitarismes. Quant à la Bavière, elle a toujours eu son « bloc bavarois ». Pourtant, tous ces gens parlent la même langue.

Ces clivages religieux ou électoraux reflètent des intérêts économiques, mais aussi des coutumes ancrées dans la nuit des temps, des attitudes devant la vie, des valeurs. Et, souligne-t-on, des structures familiales différentes malgré les brassages du dernier demi-siècle.

Au Québec, la carte du vote provoque l'angoisse des intellectuels parce qu'elle dément le mythe de l'unité et de l'homogénéité d'une société que l'on prétend, à tort, « tricotée serrée ». Cette unité est un désir bien plus qu'une réalité. De multiples études, effectuées à la demande d'entreprises désireuses de s'implanter au Québec, ont amplement relevé des différences fondamentales d'attitudes entre la rive nord et la rive sud du Saint-Laurent. La Beauce, l'Estrie sont des pays d'artisanat, d'inventeurs, de PME, d'autonomie. Les entreprises s'y multiplient, les grands syndicats s'y sont cassé les dents. La crainte de s'inféoder est vive. On compte d'abord sur soi et entre soi.

La rive nord, entre Montréal et Québec, est une zone conservatrice. La classe ouvrière y a d'abord été celle des exploitations forestières, puis de la grande industrie, autour de Saint-Jérôme, Joliette, Trois-Rivières, dominées par les multinationales et le syndicalisme. Le gouvernement a remplacé l'Église comme recours principal.

Quant à Montréal, le déferlement des immigrants de toutes les autres régions y a malaxé et transformé la population. D'autant plus qu'on peut présumer que la métropole a accueilli les habitants d'autres régions, qui fuyaient les modèles conservateurs et autoritaires.

De toute façon, les faits sont les faits, têtus comme on dit, et la référence chauvine à la langue du vote n'y changera rien. Il faut cesser de s'imaginer que tout le monde doit penser la même chose qui parle la même langue. Ce qui unit, ou ce qui sépare, est bien plus profond. Les lignes de fracture apparues clairement aux élections du 12 septembre sont durables et autrement plus inquiétantes pour l'unité du peuple québécois que les simples différences linguistiques. Des études sur la correspondance entre la carte politique du Québec et sa carte sociologique seraient plus utiles que les clichés du « café du commerce » ou de « la ligue du vieux poêle ».

La fin de la politique?

Décembre 1994

L es électeurs zappent leurs représentants comme des émissions de télévision ennuyeuses. À gauche, à droite. Partout. Sénateurs et représentants américains, zappés. Jean Doré, zappé. Hier, le régime Robert Bourassa. Avant-hier, Mulroney. Bip bip. *The Economist* parle de « haine » : « Les électeurs sont furieux. Ils haïssent les gouvernements. Ils haïssent le président. Ils haïssent leur sénateur... Une humeur noire... »

Mais les électeurs veulent-ils vraiment « punir » leurs politiciens?

Le philosophe, sociologue et écrivain américain d'origine viennoise Peter F. Drucker propose dans un nouvel essai une autre explication : les électeurs découvriraient « la futilité de la politique ». Le mot hérisse, son argumentation impressionne. Même les analystes les plus dogmatiques seraient incapables, affirme-t-il, d'expliquer par l'action politique le progrès et les transformations sans précédent qui ont marqué le XXᵉ siècle.

Ces changements économiques, sociaux, culturels — toute la vie, quoi —, n'ont rien à voir avec les programmes politiques, les révolutions, les régimes. La disparition de la classe paysanne, qui constituait il y a cent ans les deux tiers de la population, son remplacement par la classe ouvrière industrielle, retombée à son tour au même niveau qu'au début du siècle, le développement aujourd'hui de la « civilisation du savoir », tout cela ne découle, selon Drucker, que du développement et de l'application des connaissances. L'effroyable violence du XXᵉ siècle, raciale, impérialiste, militariste, n'a rien à voir avec ces transformations ; elle était idéologique.

En même temps, explique le sociologue, la productivité du travail manuel a été multipliée par 50, le revenu réel par 20, la semaine de travail réduite de moitié. Rien de tout cela ne vient de la politique. Toutes ces transformations ont été suscitées, nourries, poussées par les inventions, par le savoir. C'est le progrès de la connaissance, et lui seul, qui a vidé des campagnes affamées, peuplé les villes, éduqué les masses.

Tout cela est loin d'être fini. Le processus passe désormais en deuxième vitesse. Ceux qui prennent aujourd'hui la succession de la classe industrielle, ce sont les « travailleurs du savoir ». Un nouveau groupe dominant, déjà le tiers de la main-d'œuvre, avec des qualifications que leurs prédécesseurs n'ont pas — d'où les niveaux élevés de chômage — et qu'ils sont mal préparés à acquérir. Ce nouveau savoir implique la capacité d'apprendre rapidement et d'appliquer des connaissances théoriques et analytiques à la productivité. Il suppose aussi une formation et une rééducation continue, tout au long de la vie.

En fait, il n'y a là rien de neuf. Drucker a lui-même lancé l'expression « société du savoir » en 1959. Le rapport Parent et les documents qui ont conduit à la création du réseau de polyvalentes et de cégeps soulignaient la nécessité de préparer les nouvelles générations à cette société du savoir. La structure conceptuelle était mise en place, les ressources réunies, on semblait savoir où on allait. Le problème, c'est qu'on est resté au parking dans le beau char neuf. Le géant éducation, qui devait être à lui seul la révolution (plus ou moins tranquille), a été ligoté par les lilliputiens, les féodalités et les bureaucraties.

Les taux de décrochage de 50 %, navrants ? Primo, c'est la faute des enfants. Deuxio, si vous voulez en parler, alignez vos sous. Veut-on allonger l'année scolaire de quelques jours ? Parlons millions. La clientèle se demande-t-elle ce que valent écoles et collèges ? On refuse les évaluations.

Pour beaucoup, le chômage actuel vient de la concurrence des pays à bas salaire. Mais les produits de ces pays ne comptent que pour 2 % ou 3 % de nos importations ; nos vrais concurrents sont les Américains, les Japonais, les Allemands, les nouvelles sociétés du savoir.

« L'éducation sera au centre même, écrit Drucker, de la société du savoir, et l'école sera son institution clé. » Les nouveaux métiers ne s'apprennent pas sur le tas ; ils exigent une formation théorique et pratique. Et pour cela, conclut Drucker, l'éducation est une chose trop importante pour être laissée aux éducateurs et aux politiciens. Tous les éléments de la société civile, de la société associative, du corps économique, doivent participer à la définition et à l'organisation de l'école. Et du reste.

Faire ou protéger l'indépendance d'un pays, soit. Mais ce qui compte vraiment, c'est l'indépendance de ses citoyens, car une société du savoir est aussi une société de la mobilité : chacun va, travaille, vit où il veut. Le savoir est à la fois un passeport et le plus léger des équipements. Désormais, la sécurité des individus dépendra bien davantage de la formation de chacun et de la qualité des organisations de travail que de l'État, que l'on voit déjà en train de tout monnayer, de tout couper, de tout remettre en question. L'État devra établir des balises, mais se tenir loin de la gestion. L'objet de la politique ne sera plus l'économie — qui existe en dehors d'elle — mais les questions éthiques.

L'Ordre de la Grande Gourounerie

Février 1995

Pourquoi Jouret* ? Pourquoi publier une entrevue avec ce cerveau déjanté ? *L'actualité* n'est-elle pas une revue sérieuse ? Précisément. Parce que l'information consiste aussi à chasser la désinformation. Car Jouret n'est pas mort. Il y a dix, cent, il y a mille Jouret. Les clones du gourou homéopathe courent les rues, les salles de conférence, les écoles, les hôpitaux, les écrans de télé.

Il est caché parmi nous. Il est partout, dans les colloques, les séminaires, les lignes 900, dans les librairies, les magazines. Il exploite la naïveté et l'ignorance. Il les entretient, comme l'éleveur s'assure que ses animaux seront d'un bon rendement.

Le Jouret moyen se présente en toutes sortes de versions, pour tous les goûts et tous les niveaux : cela va du banal horoscope, qui relève du divertissement, à l'astrologie, en passant par ces manies à la mode, télépathie, numérologie, ésotérisme, ovnis, pyramides, grandes et petites, tout ce ragoût dans le grand chaudron du « Nouvel Âge » — qu'on appelait autrefois Moyen — et qui est le nouvel obscurantisme.

Ce qui doit inquiéter davantage, c'est quand ce bazar clair-obscur devient un culte de l'irrationnel, quand il investit, sous camouflage de remise en question scientifique, le monde médical, l'école, les cours de perfectionnement, la formation des cadres, l'entreprise. Les chevaliers de la foutaise, les commandos du paranormal ont su créer tout un maquis de l'occulte où ils consolent des réfugiés du savoir que la difficulté croissante de la science rebute. Il faut vingt années d'études

---

* Luc Jouret était un des chefs de « L'Ordre du Temple solaire », dont les membres furent assassinés au cours d'holocaustes successifs en 1994 et en 1995.

pour aborder les vrais secrets de l'univers — sans pour autant toujours trouver de réponses — alors qu'on se recycle en trois semaines dans le dosage d'urine, l'irrigation du côlon ou l'imposition des mains. Comment expliquer que l'on guérisse le cancer par imposition des mains mais que personne ne songe à utiliser la méthode pour faire pousser les carottes?

Comment expliquer cette épidémie de guérisseurs? L'époque semble propice à la multiplication des rôles qui s'apprennent par imitation — comme certains sports, en faisant « comme si ». Mais, dira-t-on, si ça marche, parfois… Bien sûr. Une petite pilule de farine ou de sucre est parfois efficace (effet placebo). Pourquoi un faux maître, un placebo à deux pattes, ne réussirait-il pas? Et les morts ne demandent pas justice aux tribunaux.

L'Ordre de la Grande Gourounerie vit de l'anxiété et de l'angoisse. Ses prêtres n'inventent pas les maux qu'ils soignent, mais ils les nomment. On les reconnaît à ce qu'ils ne s'attaquent jamais au mal mais, de leur propre aveu, aux malades. Ils parlent de « croissance », de révélation à soi-même. « Cherchez l'enfant en vous », ordonnent-ils! Le problème, c'est que, souvent, le patient ne trouve que cela. Eux l'avaient déjà repéré. Ils réimpriment simplement des billets de loterie perdants en caractères majuscules. Ou gothiques. Leur évocation d'un savoir perdu, d'un âge d'or, hélas! évanoui colle parfaitement au sentiment, chez leurs victimes, d'un sens, d'un bonheur eux aussi évanouis.

On peut les reconnaître à leurs promesses délirantes. À leur croyance naïve à la science, alors que pourtant ils la nient et la dénoncent. Ils préfèrent leur pseudo-science facile, un salmigondis d'énergies, de toxines, de rayonnements que rien ni personne n'a jamais pu repérer, de théories, d'équations, de calculs qui tiendraient sur un papier à cigarette.

Le triomphe de la superstition est l'échec de l'entreprise principale de nos sociétés en ce siècle : l'éducation. Le succès de cette activité mensongère serait impossible sans une absence profonde de culture. De culture scientifique d'abord. On sort aujourd'hui de l'école sans la moindre notion de ce qui s'appelait, il n'y a pas longtemps encore, les sciences naturelles. Pis, comme des virus qui utilisent l'organisme lui-même pour se reproduire, les gourous se retrouvent dans l'école même. Ils infestent les centres de pouvoir, gouvernements, sociétés d'État, écoles, églises, syndicats, médias. Psycho-ceciou-cela, raëliens, templiers tiennent des séances de formation dans les hôpitaux, les entreprises, les syndicats, l'école même.

Faute de formation, peut-on au moins compter sur l'information ? Non seulement la clique a ses propres magazines, ses maisons d'édition, mais les médias les servent inconsciemment. Ils utilisent les sujets scientifiques comme divertissement ou comme bouche-trou. La couverture des questions scientifiques dans les journaux est un scandale : n'importe qui écrit n'importe quoi, n'importe quelle dépêche sortie d'on ne sait où devient vérité scientifique ; le monde se réchauffe un jour, refroidit le lendemain ; voilà le cancer enfin vaincu, pour redevenir incurable la semaine suivante. Principe général : « À soir, on fait peur au monde. » Le savoir est difficile, mieux vaut le savoir-minute, en poudre. De perlimpinpin bien sûr. Absence de culture littéraire également. Dans cette gibelotte de superstitions, d'erreurs, d'inventions délirantes, on ne sait plus reconnaître des archétypes vieux comme le monde, et on prend tout au pied de la lettre.

L'invasion de la politique n'est pas loin : il n'y a guère de différence entre les théories cosmiques de Jouret ou de la Scientologie et l'histoire telle que revue et corrigée par des démagogues comme Louis Farrakan ou même par les activistes *politically correct* des grandes universités américaines.

Alors voilà. Voilà pourquoi Luc Jouret est plus d'actualité que jamais. Il y a incendie en la demeure. Puisse-t-on enterrer bientôt les cendres du gourou.

Constitution d'accord, éducation d'abord

Mars 1995

L a vraie question de l'avenir du Québec, c'est l'éducation. Le gouvernement, semble-t-il, va s'en occuper sitôt qu'il aura fini de tisonner l'affaire constitutionnelle. Les états généraux sont même annoncés… La tâche ne sera pas facile. D'abord remisons le vocabulaire prédémocratique, pour ne pas dire médiéval. Le monde de l'éducation ressemble à un clergé et défend ses privilèges comme une *aristocratie*, mais il y a longtemps que nous ne sommes plus, tous tant que nous sommes, que ce que le peuple appelait le « tiers état ».

Ce sera surtout pas mal plus compliqué qu'au début des années 60. Quand le ministère de l'Éducation a été créé, et quand la commission Parent a entamé sa consultation, le principal problème à régler était celui de l'accessibilité de l'enseignement secondaire et postsecondaire, par la transformation d'un système encore largement privé en un système public et universel. Il y avait aussi le problème de la laïcité, qui reste entier. Mais, pour l'essentiel, il s'agissait d'offrir à tous un modèle d'éducation connu depuis longtemps.

L'école qu'il faut maintenant penser n'est pas pour nous. C'est l'école du XXIe siècle. La moitié des métiers actuels n'existaient pas en 1960. Beaucoup de ceux de l'époque ont disparu. Le Québec a fait énormément de rattrapage, mais les niveaux d'éducation désormais incontournables ont eux aussi grimpé à la vitesse plus cinq. On désire aujourd'hui que l'école assure une culture générale, et en même temps une formation de pointe. Une grande partie de cette formation est d'autre part assurée hors de l'école, par l'entreprise, par les associations, par des institutions privées. Voire par les médias. Et parfois à l'étranger. La moitié des nouveaux emplois sont dits « autonomes » : l'école doit-elle aussi montrer comment créer son emploi ? Et l'économie n'est plus un « atelier protégé » : les concurrents viennent de toute la planète, ils ont les dents longues et bossent comme des enragés.

On attend du milieu de l'éducation qu'il se remette en question. C'est une illusion. Il y règne partout, comme dans le reste de la machine gouvernementale, un corporatisme bétonné. Et comme dans toute entreprise, même privée, on y pratique l'autosatisfaction et on s'emprisonne dans ses propres critères. Il ne faut donc pas abandonner la réforme annoncée aux mandarins (bureaucrates, syndicats, idéologues et moult étages de politiciens). Ni à la « clientèle », c'est-à-dire aux élèves et aux parents. La clientèle de l'école, c'est l'ensemble de la société. Les grandes bureaucraties, même privées, ne sont jamais secouées que par les séismes, et encore.

Faut-il choisir un « système », avec son organigramme et ses féodalités, ou un « marché » de l'éducation, une structure ouverte et multiforme, capable de répondre efficacement à des clientèles diverses et changeantes ? Et dont le destin n'est pas nécessairement local ou national. Car le travail est désormais mobile. Le défi est d'assurer à la fois la quantité, la qualité et la diversité.

On ne changera pas l'école en se contentant de rapetasser les programmes, avec une greffe ici ou là. Toutes les vaches sacrées doivent être remises en question, ministère, conseils, comités, commissions. Il faut revoir les responsabilités et les pouvoirs des commissions scolaires, sinon leur existence. Se débarrasser du syndrome qui confond égalité avec similarité, et qui veut que toutes les régions, toutes les institutions, tout le monde soit traité de la même façon. L'égalité, c'est aussi la différence.

On ne change pas de système scolaire comme on change de bagnole, mais il y a plus de risques à n'en pas faire assez qu'à en faire trop. Il faut casser les féodalités, assouplir les conventions et contrats, permettre des négociations et des pratiques locales, évaluer élèves, maîtres, écoles, le ministère même, introduire le choix et la concurrence. Il faut construire des voies parallèles nouvelles et les laisser se développer. Faire en sorte que l'oxygène de l'offre et de la demande circule dans le système, que les contestataires soient à l'intérieur, pas à l'extérieur.

Six milliards de dollars vont à l'éducation chaque année. Mille dollars par Québécois, 6 000 par élève ou étudiant. Les citoyens ont le droit d'en avoir pour leur argent. Souvent on demande trop à l'école. Trop de choses. Mais on ne peut être complaisant. On a le droit d'en exiger plus de qualité que de tout autre service public.

Pile, le Québec perd...
Face, le Canada gagne

Mai 1995

Ah! Que la politique serait jolie sans le peuple! Le peuple toujours en retard aux rendez-vous historiques et qui déjoue les plus stratégiques astuces. Ce peuple, qui a élu il y a quelques mois un parti qui promettait de faire un référendum afin de vider un débat qui épuise et écœure, sera donc puni et privé de dessert. « Car les Québécois ne sont pas prêts à se prononcer », dit le premier ministre.

Erreur. Le peuple est prêt. En permanence, c'est l'essence de la démocratie. Or voilà le droit de vote subordonné à la conformité avec la pensée du parti au pouvoir, au *politically correct* du jour. Il faudra revoir nos lois électorales et référendaires.

Comme le peuple ne sera pas plus docile à l'automne, voilà donc sa décision remise *sine die* « à moins d'un événement imprévu ou exceptionnel ». Imprévu, mais souhaité. En somme, le peuple votera si on parvient à le monter, à le « pomper ». Cela tient de la manipulation. Ou si on parvient à le cueillir dans la colère ou la panique. Cela tient du guet-apens. Heureusement les Québécois ont tendance, dans leur sagesse, à se choquer surtout lorsqu'il n'y a pas de risques...

Pourquoi cette volte-face? Parce que les conséquences d'un non seraient, nous explique-t-on, une « catastrophe » qui « affaiblirait » le Québec. « On en mangerait une! » dit l'autre.

Voire. Ces mystérieuses « conséquences du non » ne sont qu'un argument pour arracher à l'électorat un oui qui ne vient pas tout seul. Une machine à faire peur. Comment affirmer que le reste du Canada récompenserait un vote de confiance et de loyauté par une sauvage agression, et promettre du même souffle qu'il sanctionnerait un défi et une rupture en se pliant soudain à tous les *desiderata* des

Québécois! Ce qui serait affaibli, très certainement, ce sont les deux partis indépendantistes. D'abord le Bloc, qui est né dans l'impasse en tant que pur parti de nuisance. Ensuite le PQ, qui devrait tabletter sa raison d'être et se contenter de travailler à sortir de la dèche une province à demi ruinée par son festival politique continuel. Retour à René Lévesque.

Quelle différence y a-t-il, d'ailleurs, entre les conséquences d'un non et les conséquences d'un « pas de référendum »? Car ne pas le tenir, c'est le perdre, de toute façon... Au demeurant, une faible majorité de non (autour de 55 %) ne serait pas une victoire pour le fédéralisme de papa. S'imagine-t-on que la fédération peut être fonctionnelle quand près de la moitié de sa deuxième province refuse d'obtempérer? Et le « camp du changement » ne disparaîtra pas.

Ce qui affaiblit le Québec, c'est le branlage. Le fait de se mettre en marge de la vie politique canadienne, de se cantonner dans la bouderie. Ses gesticulations qui apparaissent de plus en plus comme de la pure frime. Se contredisant, aujourd'hui comme hier, dans ses prétentions constitutionnelles et dans son choix de gouvernement, le voilà comme un poisson qui se serait acheté une bicyclette. Un sondage montrait l'été dernier que les électeurs québécois auraient aimé isoler les deux aspects et avoir deux bulletins de vote : l'un pour élire un gouvernement indépendantiste, l'autre pour lui interdire de faire l'indépendance! Sous Bourassa, c'était l'inverse : ils élisaient un gouvernement fédéraliste, mais se pétaient les bretelles en menaçant de se séparer. J'ose me citer :

« On ne peut voter pour un parti souverainiste que si on a déjà l'intention de voter pour la souveraineté... Porter au pouvoir une équipe [pour] rompre la confédération alors qu'on a l'intention d'y rester... c'est se condamner à l'impuissance. [...] Les électeurs ont droit à des hommes politiques qui font ce qu'ils disent et disent ce qu'ils font... Mais de la même façon, les leaders politiques ont droit à des électeurs qui disent ce qu'ils veulent et veulent ce qu'ils disent. » (*L'actualité*, juillet 1994)

Tout cela est encore plus vrai, hélas! aujourd'hui. Les Québécois rêvent de la souveraineté, mais comme d'une voiture avec une longue liste d'options et une garantie de dix ans. Plus une place dans le garage du voisin.

L'indépendance, c'est l'indépendance. Quiconque connaît le moindrement le Canada anglais, ou se donne la peine de s'informer, sait que la demande d'association politique sera rejetée par le Canada. (Quand on « offre » d'épouser quelqu'un, cela s'appelle d'ailleurs une « demande » en mariage.) Que les comparaisons avec l'Europe ne tiennent pas. Que les échanges économiques après une sécession seront ceux de deux pays souverains et voisins, pas moins, pas plus.

Au fond, est ce que tous ces plans tirés sur la comète, tantôt de souveraineté-association, tantôt d'indéfinissables « projets de société », ne sont pas des stratégies inconscientes, au bout du tremplin, pour refuser de plonger, tout en se prenant pour le champion olympique Greg Louganis !

À ce jeu-là, l'obsession constitutionnelle ne mène nulle part. C'est la bactérie mangeuse d'avenir. Le Québec n'a pas les pouvoirs d'un État autonome, il n'a plus dans sa démarche actuelle le poids qui a été le sien, historiquement, dans le Canada. Pile, on perd... face, ils gagnent. Et cela, au moment même où un fédéralisme momentanément exsangue est enfin contraint, bien malgré lui, d'entrer dans une vrille d'adaptations où tous les États provinciaux, de gauche comme de droite, ont l'occasion de dégager des marges de manœuvre politiques, économiques ou culturelles pour s'ajuster à la nouvelle conjoncture. L'actuelle politique du pire, c'est la pire des politiques.

Référendum II.
La vraie question

Octobre 1995

Dans la question référendaire, il y a la « question Parizeau » — sur la création d'un nouveau pays souverain — et la « question Dumont » — un Québec indépendant dans un Canada uni —, le tout constituant la « question gagnante » de Lucien Bouchard.

Mais qu'est-ce qu'une victoire ? De quel pourcentage chacun a-t-il vraiment besoin pour faire avancer son affaire ?

Pour Jacques Parizeau, 50 % et quelques voix n'est pas nécessairement l'issue la plus souhaitable. Commencerait alors une partie d'enfer : les non ne vont pas disparaître ni renoncer, le Canada ne va pas se laisser diviser en deux tronçons et perdre sa devise *A mari usque ad mare* sans un combat à mort. En contestant la clarté et la légitimité de la question, il prépare déjà la contestation du résultat.

Pour Jean Chrétien, la situation serait catastrophique : une avance marquée du mouvement indépendantiste le verrait accusé de ne pas avoir « livré la marchandise ». Il doit en effet faire aussi bien que Pierre Trudeau en 1980. L'aile droite du Parti libéral fédéral, l'aile du désengagement de l'État et de la négociation subséquente d'arrangements avec les provinces — évacuant nombre de secteurs qui constituent des points de friction avec le Québec —, exigerait de succéder au « p'tit gars de Shawinigan ».

Et si la vraie question, ce n'était pas « oui ou non » ? Si c'était : et après ?

Comment s'enclenche la suite des événements ? Après un oui, la tension politique atteindrait un voltage inégalé. Comment l'utiliser de façon créatrice, l'empêcher de devenir destructrice ? Car ce serait là le début de la vraie bagarre. Et après un non ? Pschitt ? Finie l'idée souverainiste? Surtout si la différence est mince, de moins de 5 %, où iraient les vainqueurs avec une « victoire » pareille?

Le 31 octobre, quel que soit le résultat du référendum, le Canada ne sera plus le même. Déjà il y a quinze ans, une question molle a laissé la question entière. Elle risque d'être plus entière que jamais. Un Parizeau vainqueur pourrait trouver sa victoire bien courte pour passer à l'acte. Un Chrétien vainqueur pourrait n'avoir que ralenti une tendance qui se maintient. Déjà le Canada a commencé à s'organiser comme si le Québec ne devait pas être là. Et le Québec?

Le Canada peut-il rouler longtemps avec une pareille hypothèque? Le *statu quo* est une option essentielle aujourd'hui pour les fédéralistes — pourquoi faciliter la tâche de l'adversaire, en effet? Mais c'est une option nulle le lendemain d'un référendum serré. Comme l'écrivait récemment l'historien Peter Newman : « Le Canada anglais doit abandonner la notion stupide que le *statu quo* est viable... »

Car l'impasse actuelle ne peut se résoudre que dans le changement. Reste à savoir de quel type.

Pour une détumescence de la politique

Novembre 1995

Le lendemain du scrutin, le 31 octobre au matin, où en serons-nous ? Quel que soit le résultat, la moitié des Québécois ou à peu près auront été défaits. Une défaite amère, douloureuse : la tâche première des élus consistera à cicatriser les plaies. À calmer et surtout à rassurer.

Mais c'est loin d'être tout. Il faudra changer de politique. Et même changer *la* politique. On nous a promis qui une nouvelle façon de gouverner, une « nouvelle révolution tranquille », qui un allégement de l'État. Ce qui partout intéresse les citoyens au premier chef, ici comme aux États-Unis ou en Europe, ce sont moins les institutions que l'usage qu'on en fait. Ce n'est pas le pouvoir, mais l'abus de pouvoir. Pas ce que le gouvernement devrait faire, mais ce qu'il pourrait ne plus faire ou ne pas faire.

Les questions clés — pas nécessairement pour multiplier les programmes et les interventions, mais peut-être davantage pour s'en désengager — sont l'érosion du pouvoir d'achat, celle du travail même, avec un chômage que chaque marée récessionnaire laisse un peu plus haut sur la plage du désespoir. Un champignon atomique de dettes qui s'élève d'année en année malgré une fiscalité confiscatoire appliquée avec une brutalité de Shylock et des taux d'intérêt usuraires, au profit du lobby bureaucratico-syndicalo-politicien. Une caisse de retraites qui se vide. La destruction d'un système d'assurance-maladie qu'on est en train de réduire à l'état de coquille vide, tout en interdisant à d'autres organisations de suppléer à ses défaillances ; sous prétexte de réforme, ce qu'on organise n'est que la pénurie et l'égalité devant les listes d'attente. Une école en miettes, sous le joug d'une bureaucratie dont la pensée tous azimuts a perdu contact avec les clients, enfants et parents. L'inaction agitée des pouvoirs publics devant les gangs, Hell's, Warriors ou mafias. La puissance croissante d'un gouvernement par des juges, capables de bloquer ou de défaire, en s'appuyant sur des textes parfois centenaires et sur des analyses sociales qui ne font pas l'unanimité, la volonté des parlements et des électeurs...

Le citoyen de cette fin de siècle, instruit, débrouillard, autonome, informé, n'a plus besoin comme naguère de tuteurs, mais de liberté. Il ne veut pas de révolution, ni agitée ni tranquille. Il veut un rendez-vous à l'« extrême centre ». On ne le rencontre pas aux séances des commissions sur la souveraineté ni aux réunions des Yvette ou des Homards... On le trouve au bureau, au centre commercial, au centre d'emploi, à l'école. Métro-boulot-dodo, il est las de travailler jusqu'après le lunch uniquement pour les impôts et pour une caste qui ne livre plus la marchandise. Le désir des citoyens, c'est de reprendre le contrôle de leur vie; c'est vrai des collectivités comme des individus, c'est le message des régions comme des électeurs. Ils constatent que tous ces débats politiques qui grondent là-haut comme un orage d'été concernent principalement le pouvoir, qui le gardera, qui le perdra. Or ce qu'ils voient, ce sont des partis et des syndicats qui se financent sur leur dos, sans demander la permission, à même les impôts, et qui multiplient les règles et les lois qui désavantagent d'éventuels concurrents. On leur parle de décentralisation, mais ils se demandent pourquoi, comme dans la fable de La Fontaine, les Jupiter au petit pied qui nous gouvernent se contentent de lancer aux grenouilles tantôt une poutre tantôt un héron au lieu de remettre les responsabilités et la gestion des affaires publiques aux collectivités locales, municipalités ou commissions scolaires.

Aujourd'hui règnent la pagaille et l'insécurité en ce qui concerne l'emploi, le territoire, les valeurs, les loyautés. Au moment où l'économie et les rapports internationaux changent, où le pays se transforme, le Québec souffre d'une absence de représentation à Ottawa sur ces vraies questions. Bien des électeurs ont conclu que le pouvoir n'est plus qu'un show et la politique une lutte pour l'hégémonie médiatique. Ils savent ce qui se fait ailleurs, et il ne faudra plus beaucoup de temps pour qu'ils cherchent ici des Ralph Klein, des Frank McKenna et des Mike Harris.

Table

TABLE 241

TABLE   243

MISE EN PAGES ET TYPOGRAPHIE :
LES ÉDITIONS DU BORÉAL

ACHEVÉ D'IMPRIMER EN AOÛT 1996
SUR LES PRESSES DE AGMV,
À CAP-SAINT-IGNACE (QUÉBEC).